ISBN978-4-522-43294-5
C2077 ¥1300E

永岡書店　定価 本体1,300円 +税

うまくかめない、かむのがつらい人に。からだにやさしい

やわらか おいしい!レシピ

河野 雅子 著
斎藤 一郎 医学部分監修

永岡書店

はじめに

からだによいものを食べやすく

グルメ番組などを見ていると「やわらかくて、おいしい！」という表現が多いことが気になります。以前はおせんべいをバリバリ食べたり、りんごを丸かじりする光景を目にしたのですが、最近は少なくなった気がします。噛む力や消化能力が衰えて自信がなかったりすると、やわらかいものに頼りがちですが、気がかりな点があります。

脂肪や糖分の少ないやわらか素材を

気をつけていただきたいのは、一般的に、やわらかい食品には多くの場合、脂肪や糖分がたくさん含まれていることです。やわらかい＝おいしい、ラクといって、そのようなものばかり食べ続けていると、肥満や、それに起因する生活習慣病につながる心配があります。

PART1では、やわらかくても脂肪や糖分が少ない食品を選び、おいしく食べられ、味つけも穏やかな、からだにやさしい料理をご紹介します。

かたい食品も工夫次第でやわらかく

うまく噛めなくなると不足しやすいのが肉や魚介に含まれるたんぱく質、野菜のビタミン類やミネラル、食物繊維です。これらが不足するとからだのあちこちに不調が生じます。

とはいっても、歯やあごに問題があってかたいものが食べられない場合もあります。PART2、PART3では、そうした場合でも大丈夫なようにやわらかく、おいしく食べられる工夫をたくさんご紹介しています。

なんでも食べられる健康な食生活を

やわらかいものばかりを食べ続けると、噛む力はいっそう弱くなってしまいます。噛めないときは栄養バランスに気をくばりながら、やわらかい料理を食べる一方で、噛めない原因を解消し、なんでも食べられるようになっていただきたいと思います。巻末で鶴見大学歯学部教授の斎藤一郎先生に噛む力を高める方法を教えていただきました。

じっくり噛んでおいしく味わい、いろいろなものを食べていっそう健康的な生活を送られることを願っています。

料理研究家・栄養士　**河野雅子**

PART 2 かたい素材をウマやわらかに

PART 3 食べたい、を食べられる！ に

おいしい！　やわらかレシピ

Contents

PART 1 やわらか素材で極ウマ！

この本の見方

A
2人分の材料です。1人分を作るときはすべての材料を半分に、4人分を作るときは2倍にしてください。2倍量にすると味が濃くなる場合があるので調味料を控えめにし、味をみて調節してください。

B
1人分のエネルギー量と塩分です。

C
やわらかくするためのポイントです。下の写真を参考にしてください。

D
この料理を作るときのコツです。下の写真を参考にしてください。

E
この料理をやわらかくするポイントです。上記のレシピと合わせて見てください。

F
この料理のちょっとしたコツや材料の代替、情報が書かれています。

G
この料理をおいしく作るコツです。上記のレシピと合わせて見てください。

半熟卵より少し手前のゆるゆる、ふんわりに

ふわとろオムライス

1人分 665 kcal
塩分 2.7 g

材料（2人分）

- ツナ（油漬）…小1缶
- ミックスベジタブル（冷凍）…80g
- 玉ねぎ（5mm角切り）…1/4個分
- 卵…2個
- A
  - 牛乳…大さじ4
  - 塩…ふたつまみ
  - こしょう…少々
- 温かいご飯…茶わん2杯分（300g）
- B
  - トマトケチャップ…大さじ3
  - 塩…小さじ1/4
  - こしょう…少々
- サラダ油…大さじ2
- バター…小さじ2

作り方

1. ツナは缶汁をきる。ミックスベジタブルはぬるま湯でもどし、水気をきる。
2. 卵をボウルに割り入れ、Aを加えて混ぜる。
3. フライパンにサラダ油大さじ1・1/2を熱し、玉ねぎを炒める。透き通ってきたらミックスベジタブルを加えてしっかり炒め、ご飯を加えて ⓐ ほぐすように炒める。ツナを加えてさらに炒め、Bを混ぜ合わせて器2個に盛り分ける。
4. フライパンにサラダ油大さじ1/4、バター小さじ1を入れて中火にかける。バターが溶けてきたら②の半量を流し入れ、箸で外側から内側に大きくかき混ぜ、かたまりかけたら③にのせる。同様にしてもう1人分を作る。

MEMO

1. ハム、ベーコンでも作れますが、ツナを使うとよりやわらか。
2. 一般的なオムライスよりもやや手前、かたまりかけの状態にします。

やわらか **ポイント**

卵に牛乳を多めに入れ、ゆるゆる、やわらかな仕上がりに。

作り方 **コツ**

ⓐ 玉ねぎとミックスベジタブルをしっかり炒めてからご飯を入れます。

24

この本の使い方

- この本ではうまく噛めない、消化器官の具合が悪い、などの理由でやわらかいものしか食べられない場合に、おすすめの料理を紹介しています。症状が治まったら、普通の食事も摂るようにしてください。
- 材料を個数や本数などで表記したものは断りがなければ、中程度の大きさです。グラム数で表したものは皮や種を除いた正味量です。
- 使用した計量器は大さじ1＝15mℓ、小さじ1＝5mℓ、1カップ＝200mℓです。
- 火加減は、強火で、弱火で、などと書かれていない場合は中火で、という意味ですが、煮汁が少なくなったり、吹きこぼれそうになったりしたときなどは適宜、調節してください。
- 電子レンジは500Wのものを使用しています。100W増えるごとに時間を20%減らしてください。500Wで1分なら600Wで約40秒というように、やや少なめにし、様子を見て加減してください。
- 揚げ油の温度の見方は、濡らして水気を拭いた菜箸を入れ、盛んに泡が出てくる状態、ころもを落としてみて、途中まで沈んで浮いてくるようなら170℃になっています。
- うす口しょうゆは同量のしょうゆに代えても作れます。

PART 1
やわらか素材で極ウマ！

食べやすいのは

①繊維が少ない
②適度な油分や水分を含む
③薄い、細かい、細い

などの食品です。そうした食品を使い、
そのよさを最大限に生かしながら
よりおいしい料理をここで紹介しています。

さっと火を通して肉をふんわり

やわらか肉じゃが

1人分 385 kcal
塩分 2.1 g

材料（2人分）

牛肉（しゃぶしゃぶ用）…100g
じゃがいも…2個
玉ねぎ…小1個
にんじん…小1本
サラダ油…大さじ1/2
だし汁…1・1/4カップ
小麦粉…適量
A 砂糖…小さじ2
A 酒、みりん…各小さじ2
A しょうゆ…大さじ1・1/2
グリンピース（冷凍）…大さじ1

作り方

1. じゃがいもは小さめのひと口大に切り、水にくぐらせる。
2. 玉ねぎはくし形に、にんじんは乱切りにする。
3. 鍋にサラダ油を熱し、1、2を炒めてだし汁を加える。煮立ったらふたをし、弱火で7～8分煮る。
4. 牛肉は食べやすい大きさに切り、茶こしで薄く小麦粉をふる a。
5. 3にAを加えて3～4分煮、牛肉を広げて入れ、ふたをして2～3分煮る。
6. 水にくぐらせたグリンピースを加え、ひと煮する。

作り方 コツ

a 牛肉に小麦粉をまぶしてうまみをとじこめ、とろみをつけます。

やわらか ポイント

牛肉を材料にのせるように入れ、色が変わる程度にさっと煮ます。

やわらかい肉をよりやわらかに

ヒレ肉のポークソテー

1人分 176 kcal
塩分 0.3 g

材料（2人分）

豚ヒレ肉（かたまり）…200g
- 塩、こしょう…各少々
- 小麦粉…適量

サラダ油…小さじ2
カリフラワー…1/2個（100g）
塩、こしょう…各少々
レモン（くし形切り）…2切れ

作り方

1. 豚肉は厚みを4等分に切る。切り口を上にして手でギュッと押し ⓐ、片面に細かい格子状の切り目を入れる。塩、こしょうをし、小麦粉をまぶす ⓑ。
2. フライパンにサラダ油を熱し、1の切り目のあるほうを上にして入れる。焼き色がついたら裏に返して3～4分、こちらはしっかり焼いて取り出す。
3. カリフラワーはひと口大の小房に分け、熱湯に入れてくずれる寸前までやわらかくゆでる。ざるにあげて塩、こしょうをする。
4. 器に2、3を盛り、レモンを添える。

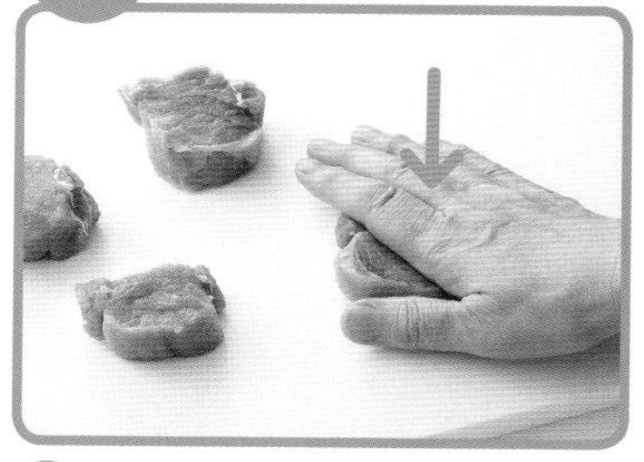

ⓐ 火の通りが均一になるように、肉を手でギュッと押します。

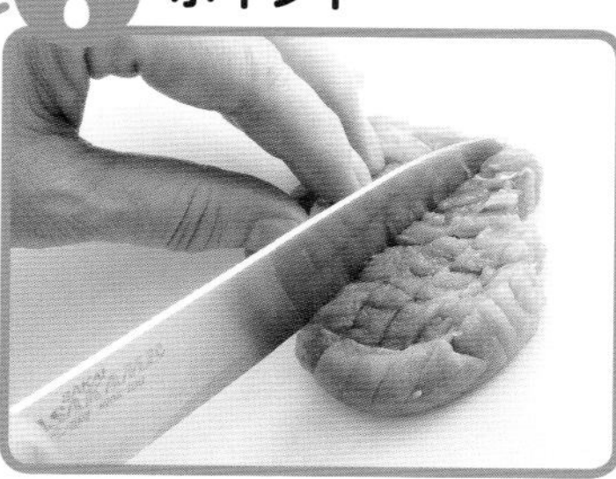

できるだけ細かい、7～8㎜深さの切り目を格子状に入れます。

ⓑ 小麦粉をふっておくとしっとり焼き上がります。

たっぷり野菜でうまみととろみを

しっとりドライカレー

1人分 614 kcal
塩分 2.6 g
（ご飯を含む）

材料（2人分）

豚ひき肉…100g

A
- 玉ねぎ…1/2 個
- にんじん…1/4 本
- ピーマン…1 個
- ズッキーニ…1/2 本
- レーズン…大さじ 1・1/2

しょうが…1/2 かけ

にんにく…1/2 片

塩、こしょう…各適量

カレー粉…小さじ 2 ～ 3

サラダ油…大さじ 1

B
- 野菜ジュース…1 カップ
- スープ…1/2 カップ※
- ウスターソース…小さじ 2

ご飯…茶わん 2 杯分（300g）

※水 1/2 カップにコンソメスープの素 1/2 個を溶いたもの

作り方

1. ひき肉に塩、こしょう各少々、カレー粉小さじ 1/2 を混ぜる。**A** はすべて粗いみじん切りにする。
2. しょうが、にんにくはみじん切りにする。
3. 鍋にサラダ油を熱して2を炒め、1を加えて炒める。肉の色が変わったら残りのカレー粉をふりこんでⓐさらに炒め、**B** を入れる。
4. 煮立ったら弱火にしてふたをし、20 ～ 25 分煮、塩、こしょうで味をととのえる。
5. 器に4を入れてご飯を添える。あればミントの葉を添える。

MEMO

何種類もの野菜を刻むのはちょっと大変！　でも、手をかけたかいのあるおいしさです。

作り方 **コツ**

ⓐ 野菜がしんなりするまで炒め、カレー粉をふり入れます。

やわらか **ポイント**

野菜ジュースで肉がやわらかくなり、うまみも増します。

1人分 135 kcal
塩分 1.6 g

ふんわり、ふわふわの

はんぺん肉団子

材料（2人分）

鶏ひき肉…100g
長ねぎ（みじん切り）…大さじ2
はんぺん…1枚

A
- 酒…小さじ2
- 塩…少々
- こしょう…少々

青じそ…2枚
大根おろし…1/2カップ
ポン酢じょうゆ…適量

作り方

1. ボウルにひき肉、長ねぎを入れ、はんぺんをちぎりながら入れる。**A**を加えてよく混ぜる。
2. 多めの湯をわかし、1をスプーンでひと口大に丸くすくって入れる（10～12個に）。浮き上がってきたらざるにあげる。
3. 器に盛り、青じそにのせた大根おろしを添え、ポン酢じょうゆをかける。

やわらか ポイント

はんぺんは食べやすいように手で小さくちぎります。

MEMO

大きく作ってもよいのですが、その場合はゆでる時間を長めに。

じゃがいものふっくら効果で

つくねの照り焼き

1人分 277 kcal
塩分 2.1 g

材料（2人分）

鶏ひき肉…150g
えのきたけ…80g
じゃがいも…1/3 個(50g)
溶き卵…1/3 個分
塩、こしょう…各適量
サラダ油…小さじ 2

A
- しょうゆ…大さじ 1・1/2
- 砂糖…小さじ 1
- 酒…大さじ 1・1/2
- みりん…大さじ 1・1/2

パプリカ(赤、黄色)…各 1/2 個

作り方

1. えのきたけは笠のほうから 5㎜幅に刻む。パプリカは薄く切る。
2. ボウルにひき肉、えのきたけ、じゃがいもをすりおろしながら入れ、溶き卵、塩、こしょう各少々を入れてよく混ぜ、6 等分して小判形にする。
3. フライパンにサラダ油少々を熱してパプリカをさっと炒め、塩、こしょう各少々をふって取り出す。残りのサラダ油を足し、❷の両面を焼く。油を拭き取り **A** を合わせて入れ、照りよくからめる。

じゃがいもをすりおろしながら入れるとラク。

しっとり食べ心地、おなかにもかるい

おからコロッケ

1人分 333 kcal
塩分 1.4 g

材料（2人分）

おから…100g
鶏ひき肉…80g
玉ねぎ(みじん切り)…1/4 個
サラダ油…小さじ 1
［しょうゆ…大さじ 1
　砂糖…小さじ 2
溶き卵…1/2 個分
片栗粉…大さじ 1
小麦粉、溶き卵、パン粉…各適量
揚げ油…適量
キャベツ(せん切り)…1 枚

作り方

1. フライパンにサラダ油を熱して玉ねぎを炒め、ひき肉を加えてさらに炒める。パラパラになったらしょうゆ、砂糖を加えて混ぜ、火を止める。おから、溶き卵 1/2 個分、片栗粉を混ぜるa。
2. 6 等分して俵形にしb、小麦粉をまぶして溶き卵をからめ、パン粉をつける。
3. 揚げ油を 170℃に熱して2をきつね色に揚げる。キャベツのせん切りを添えて盛る。

MEMO

パン粉が粗いようなら指先ですりもんで細かく。口あたりがやわらかくなり、吸油率もダウンします。

作り方 コツ

a ひき肉を炒めて味つけしてから、おから、卵などを混ぜます。

b たねを細長い形にし、上下を平らに押さえて俵形に。

1人分 160 kcal
塩分 1.9 g

煮汁にとろみをつけてしっとり

カレイのおろし煮

材料（2人分）

カレイ…2切れ

- めんつゆ（3倍濃縮）…大さじ2
- だし汁（または水）…1・1/2カップ

片栗粉…小さじ1

大根おろし…1/2カップ

しょうが…1かけ

細ねぎ（小口切り）…適量

作り方

1. フライパンにめんつゆ、だし汁、しょうがの皮を入れて火にかける。煮立ったらカレイを入れ、スプーンで5～6回、煮汁をすくいかける。
2. 切り目を入れたクッキングシートをのせ(56ページ参照)、弱めの中火で煮汁が半量になるまで煮てクッキングシートをはずす。
3. しょうがの皮を取り出し、片栗粉を水大さじ1で溶いて2に回し入れ(a)、かるく混ぜる。とろみがついたら大根おろしを入れて温める。
4. 器に盛り、すりおろしたしょうがをのせて細ねぎを散らす。

コツ

a 水溶き片栗粉を入れたら、カレイを動かさないようにして混ぜます。

手軽に作れ、とてもクリーミー

サケのコーングラタン

1人分 569 kcal
塩分 1.8 g

材料（2人分）

サケ（水煮）…1缶（170〜180g）
じゃがいも…2個（300g）
クリームコーン…1/2カップ
A［生クリーム…1/2カップ
ピザ用チーズ…40g
スープの素（顆粒）…小さじ1/2］
塩、こしょう…各少々

作り方

1. サケはひと口大にほぐす。
2. じゃがいもは皮つきのまま洗って耐熱皿にのせ、ラップをかけて電子レンジ500Wで3分加熱、裏返してさらに3分加熱する。皮をむき、ひと口大に切って塩、こしょうをする。
3. クリームコーンにAを混ぜるⓐ。
4. グラタン皿に①、②を入れ、③を回しかけ、220〜230℃のオーブンで約10分、焼き色がつくまで焼く。

作り方 **コツ**

ⓐ コーンに生クリームなどを合わせたら、ヘラでなめらかに混ぜます。

1人分	86 kcal
塩分	0.5 g

しっとりとやわらかな赤身で

マグロのタルタル

材料（2人分）

マグロ（刺身用、中落ち）…120g
長ねぎ…4～5㎝
しょうが…小1かけ
青じそ…2～4枚
うずら卵…2個
しょうゆ…適量

作り方

1. 長ねぎは粗いみじん切り、しょうがは皮をむいてみじん切りにする。
2. マグロは包丁で粗くたたき、1を加えてたたき混ぜるa。
3. 器に青じそを敷いて2を盛り、中央部を少しへこませてうずら卵を割り落とす。
4. しょうゆをかけ、全体を混ぜて食べる。

コツ

a マグロをざっとたたいて薬味を加え、さらにたたき混ぜます。

やわらかな貝柱を、さわやかなソースで

ホタテのカルパッチョ

1人分 112 kcal
塩分 0.3 g

材料（2人分）

ホタテ貝柱（刺身用）…大4個※
トマト（5㎜角）…大さじ3
玉ねぎ（粗みじん）…小さじ2
セロリ（粗みじん）…小さじ2
ピクルス（粗みじん）…小さじ2
パセリ（みじん切り）…小さじ2
A オリーブ油…大さじ1
A レモン汁…大さじ1/2
A 塩、こしょう…各少々

※貝柱が小さめなら6個を用意し、厚みは半分に切ります。

作り方

1. ホタテ貝柱は厚みを3等分に切って器に並べる。
2. トマト、玉ねぎ、セロリ、ピクルス、パセリを合わせて**A**を混ぜ(a)、1にかける。

作り方 コツ

(a) 粗いみじん切りにした野菜にオリーブ油などを混ぜてソースに。

うまみ素材と組み合わせてトロ〜ッ

ホタテと白菜のクリーム煮

1人分 250 kcal
塩分 0.8 g

材料（2人分）

白菜…大2枚
ホタテ貝柱（水煮）…小1缶
しょうが（せん切り）…小1かけ分
長ねぎ（みじん切り）…大さじ2
サラダ油…大さじ1
鶏ガラスープ…1/2カップ※
［牛乳…1/2カップ
　生クリーム…1/4カップ
塩、こしょう…各少々
片栗粉…小さじ2

※水1/2カップに鶏ガラスープの素小さじ1を溶いたもの。

作り方

1. 白菜は葉と白い部分に分け、葉は2〜3㎝幅に、白い部分は縦半分に切ってから1㎝幅に切る。
2. フライパンにサラダ油を熱してしょうが、長ねぎを炒める。香りが立ったら白菜の白い部分を2分ほど炒め、葉を加えて炒め合わせ、スープ、ホタテの缶汁を加えるa。煮立ったら弱火にして3分煮る。
3. 牛乳、生クリームを加えてやわらかくなるまで煮、ホタテ貝柱を加えb、塩、こしょうで味をととのえる。
4. 片栗粉を2倍量の水で溶き、3に回し入れてとろみをつける。

やわらか ポイント

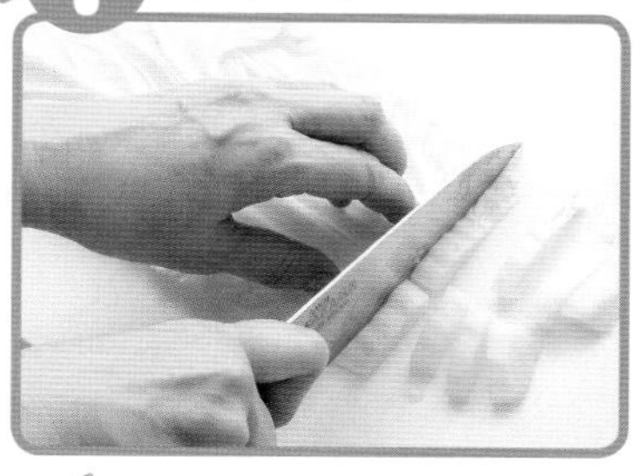

白菜の白い部分は細く切り、じっくり煮てやわらかに。

コツ

a 先に缶汁を入れてホタテのおいしさを白菜に含ませます。

b 白菜がやわらかくなってから貝柱を加え、ひと煮します。

半熟卵より少し手前のゆるゆる、ふんわりに

ふわとろオムライス

1人分 665 kcal
塩分 2.7 g

材料（2人分）

ツナ（油漬）…小1缶
ミックスベジタブル（冷凍）…80g
玉ねぎ（5㎜角切り）…1/4個分
卵…2個

A
- 牛乳…大さじ4
- 塩…ふたつまみ
- こしょう…少々

温かいご飯…茶わん2杯分（300g）

B
- トマトケチャップ…大さじ3
- 塩…小さじ1/4
- こしょう…少々

サラダ油…大さじ2
バター…小さじ2

作り方

1. ツナは缶汁をきる。ミックスベジタブルはぬるま湯でもどし、水気をきる。
2. 卵をボウルに割り入れ、Aを加えて混ぜる。
3. フライパンにサラダ油大さじ1・1/2を熱し、玉ねぎを炒める。透き通ってきたらミックスベジタブルを加えてしっかり炒め、ご飯を加えてⓐほぐすように炒める。ツナを加えてさらに炒め、Bを混ぜ合わせて器2個に盛り分ける。
4. フライパンにサラダ油大さじ1/4、バター小さじ1を入れて中火にかける。バターが溶けてきたら②の半量を流し入れ、箸で外側から内側に大きくかき混ぜ、かたまりかけたら③にのせる。同様にしてもう1人分を作る。

MEMO

① ハム、ベーコンでも作れますが、ツナを使うとよりやわらか。
② 一般的なオムライスよりもやや手前、かたまりかけの状態にします。

ポイント

卵に牛乳を多めに入れ、ゆるゆる、やわらかな仕上がりに。

コツ

ⓐ 玉ねぎとミックスベジタブルをしっかり炒めてからご飯を入れます。

1人分 188 kcal
塩分 0.7 g

はんぺんのやわらか食感を生かして

ふんわりスクランブルエッグ

材料（2人分）

はんぺん…小1枚
トマト…2個
卵…2個
A ┌ 牛乳…大さじ3
　 │ 片栗粉…小さじ1/2
　 └ 塩、こしょう…各少々
サラダ油…大さじ1/2
バター…大さじ1/2
細ねぎ（小口切り）…適量

作り方

1. はんぺんは2㎝角に切る。トマトはヘタをくり抜いてくし形に切る。卵はボウルに割り入れる。
2. Aを混ぜ合わせて卵に混ぜる。
3. フライパンにサラダ油を熱し、はんぺんをさっと焼き、トマトを加えてひと炒めする。
4. バターを加えて強火にし、2を流し入れて大きく混ぜる。底のほうが固まりかけたら火を止めて混ぜ、器に盛って細ねぎを散らす。

MEMO

噛む力がそう弱くない場合は、ちくわで作ってもOK。トマトの皮が噛みにくいようなら湯むきに（72ページ参照）。

ポイント

牛乳で溶いた片栗粉を卵に混ぜて。トマトの水分が多ければ片栗粉を多めに。

口の中でとろけそうにやわらか！

麩（ふ）の卵とじ

1人分 129 kcal
塩分 1.8 g

材料（2人分）

小町麩…10個
卵…2個
玉ねぎ…1/4個
貝割れ菜…1/4パック
A
- だし汁…2カップ
- みりん…大さじ2
- うす口しょうゆ…大さじ1

七味唐辛子（好みで）…少々

作り方

1. 玉ねぎは薄切りにする。貝割れ菜は根元を切り落として2cm長さに切る。
2. 鍋にAと麩を入れて麩がふくらむまでおきⓐ、玉ねぎを加えて火にかける。煮立ったら弱火にし、ふたをして3分煮る。
3. 卵を溶きほぐして2に回し入れ、半熟になったら貝割れ菜を散らす。好みで七味唐辛子をふる。

作り方 コツ

ⓐ 箸ではさみ、クシュッとなるまでおく。

MEMO

小町麩は小さめのやわらかな麩です。好みの麩で作るのもよいでしょう。

1人分 33 kcal
塩分 0.8 g

煮汁をたっぷり吸ってうまみもたっぷり

なすの含め煮

材料（2人分）

なす…2個

A ［だし汁（または水）…1カップ
　 めんつゆ（3倍濃縮）…大さじ1強

すり白ごま（あれば）…適量

作り方コツ

a 切り目をそろえるには、包丁を途中で止めないで切り続けることです。

作り方

1. なすはヘタを切り落として縦半分に切る。皮のほうに3～4㎜間隔の切り目を入れ a、水にくぐらせて水気をきる。
2. 鍋に **A** を入れて火にかける。煮立ったら 1 を入れ、切り目を入れたクッキングシートを直にかぶせて落としぶたにし(56ページ参照)、弱めの中火で13～15分煮る。
3. 火を止め、なすがふっくらとなるまでしばらくおいて味をなじませる。
4. 器に盛ってすりごまをふる。

MEMO

煮ものは煮汁を多めに残して8分程度に火を通すのがコツ。さめながら味を含んで食べごろに火が通ります。

揚げ玉のコクが風味とうまみに

かぶと揚げ玉の甘辛煮

1人分 93 kcal
塩分 1.3 g

材料（2人分）

かぶ…小4個
かぶの葉…適量
揚げ玉…大さじ3
しょうが…小1かけ
A
- だし汁…1カップ
- 砂糖、酒…各大さじ1強
- しょうゆ…大さじ1強

ポイント

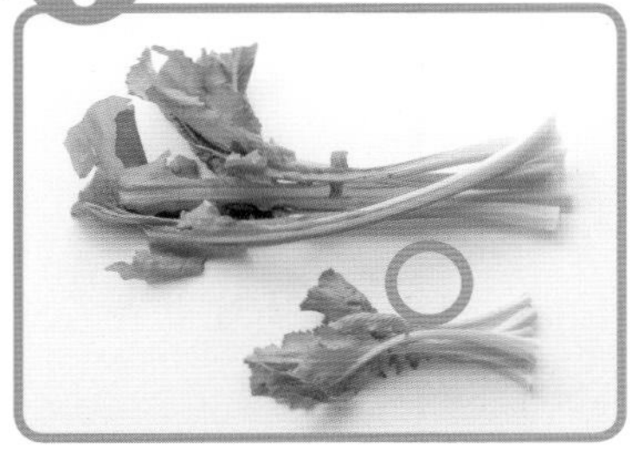

かぶの葉は中心部のやわらかい部分を。残りは汁の実などに。

作り方

1. かぶは皮をむいて縦4つに切る。葉は中心部のやわらかいものをさっとゆでて1㎝長さに切る。しょうがは皮をむいてせん切りにする。
2. 鍋にA、しょうが、かぶを入れて火にかける。煮立ったら切り目を入れたクッキングシートを直にかぶせて落としぶたにし(56ページ参照)、弱めの中火にしてかぶがやわらかくなるまで10～15分煮る。
3. 揚げ玉を散らし、ひと煮する。器に盛り、1のかぶの葉を散らす。

電子レンジで手早く作れる！

かぼちゃとゆで卵のサラダ

1人分 266 kcal
塩分 0.8 g

材料（2人分）

かぼちゃ…1/8 個（200g）
ゆで卵…1 個
ツナ（油漬）…小 1/2 缶
フレンチドレッシング…大さじ 1
マヨネーズ…大さじ 1・1/2
塩、こしょう…各少々

作り方

1. かぼちゃは皮をところどころむき、ひと口大に切る。
2. 耐熱皿に1を並べてラップをかけ、電子レンジ 500W で 4 分加熱し、かるくつぶして熱いうちにドレッシングであえる。
3. ゆで卵は殻をむき、フォークで粗く刻むa。
4. 2に3、缶汁をきったツナを加えてマヨネーズであえ、塩、こしょうで味をととのえる。

作り方 コツ

a ゆで卵をフォークで刻むと、味がよくからみます。

ヨーグルトの酸味が豆の味を引き立てて

ミックスビーンズのサラダ

1人分 154 kcal
塩分 0.6 g

材料（2人分）

ミックスビーンズ（水煮）…120g
さやいんげん…4～5本
プレーンヨーグルト…大さじ1・1/2
A
- マヨネーズ…大さじ1・1/2
- 玉ねぎのみじん切り…大さじ1
- 塩、こしょう…各少々

作り方

1. ミックスビーンズは汁気をきる。
2. さやいんげんはやわらかめにゆでてざるにあげ、斜め2cm長さに切る。
3. ボウルにヨーグルトと**A**を入れて混ぜ ⓐ、1と2をあえる。

作り方 コツ

ⓐ ヨーグルト、マヨネーズをなめらかに混ぜ、玉ねぎを加えて混ぜます。

トロトロ食感のものの組み合わせ

モロヘイヤの納豆あえ

1人分 123 kcal
塩分 0.3 g

材料（2人分）

モロヘイヤ…4～5本
長いも…50g
豆腐…1/2丁(150g)
ひき割り納豆…1パック
しょうゆ(好みで)…適量

作り方

1. モロヘイヤは葉を摘む。さっとゆでて水にとり、水気を絞って細かく刻む。
2. 長いもは皮をむいて4つ割りに。ポリ袋に入れ、めん棒で小さくたたき割る。
3. 納豆は添付のたれ、練り辛子を加えて混ぜ、❶、❷を入れて混ぜる。
4. 豆腐を半分に切って器に盛り、❸を等分にのせてしょうゆをかける。食べるときに全体を混ぜる。

MEMO

モロヘイヤは包丁で細かくたたくと粘りが出てきます。代わりにオクラを使うのも OK。塩をすり込んでさっとゆで、同様に細かくたたきます。

作り方

1. 里いもは洗い、耐熱皿にのせてラップをかける。電子レンジ500Wで1分30秒、裏返しにしてさらに1分30秒加熱する。
2. 少しさまして皮をむき、温かいうちに木べラで半つぶしにする。
3. 器に盛り、大根おろしを汁ごとかけ、ポン酢じょうゆをかけて七味唐辛子をふり、細ねぎを散らす。

とろりとした口あたり、のど越しもツルリ

ブロッコリーのなめたけあん

材料（2人分）

1人分 25 kcal
塩分 1.0 g

ブロッコリー…1/2個
なめたけ…大さじ2
だし汁（または水）…1/4カップ
めんつゆ（3倍濃縮）…小さじ1
片栗粉…小さじ1/2

作り方

1. ブロッコリーは小房に分け、やわらかくゆでてざるにあげる。
2. なめたけ、だし汁、めんつゆを小鍋に入れて火にかける。片栗粉を2倍量の水で溶き、煮立ったところに入れて混ぜる。
3. 1を器に盛って2をかける。好みでおろししょうが少々をのせるのもよい。

ホロリとくずれてねっとり食感

つぶし里いものおろしポン酢

材料（2人分）

1人分 51 kcal
塩分 0.7 g

里いも…3個（150g）
大根おろし…1/2カップ
ポン酢じょうゆ…適量
七味唐辛子…少々
細ねぎ（小口切り）…適量

1人分 97 kcal
塩分 0.8 g

ヘラでつぶせるくらいにやわらかく煮て

にんじんのマッシュスープ

材料（2人分）

にんじん…1本
ベーコン…1枚
スープ…2カップ※
バター…大さじ1/2
小麦粉…小さじ1
塩、こしょう…各少々

※水2カップにコンソメスープの素1/2個を溶いたもの。

作り方

1. にんじんは皮をむいて5㎜厚さの輪切り、ベーコンは1㎝角に切る。
2. 鍋にバターを溶かして1を炒め、小麦粉をふってかるく炒め、スープを注ぐ。
3. にんじんが煮くずれるくらいにやわらかくなったら木ベラでつぶし a、塩、こしょうをふる。

作り方 **コツ**

a にんじんを、木ベラ、またはマッシャーで押しつぶしてマッシュ状態に。

しらすからもいい味が出て風味のよい

しらす干しのかき玉汁

材料（2人分）

1人分 58 kcal
塩分 1.6 g

しらす干し…大さじ1
卵…1個
A
- だし汁…2カップ
- 塩…小さじ1/3
- うす口しょうゆ…小さじ1/2

片栗粉…小さじ2
青のり…少々

作り方

1. 卵を溶きほぐし、しらす干しを混ぜる。
2. **A**を煮立て、2倍量の水で溶いた片栗粉を混ぜてとろみをつける。
3. 1を回し入れ、ひと混ぜで火を止める。器に入れ、青のりをふる。

のど越しもソフト、やさしい味わい

とろろと豆腐のみそ汁

材料（2人分）

1人分 115 kcal
塩分 1.8 g

やまといも…100g
絹ごし豆腐…1/3丁(100g)
- だし汁……1・1/2カップ
- みそ……大さじ1・1/2

貝割れ菜(葉先のみ)…適量

作り方

1. やまといもは皮をむいてすりおろす。
2. 鍋にだし汁を入れて火にかける。煮立ったら1、豆腐はくずしながら入れる。
3. 再び煮立ったらみそを溶き入れる。器に入れ、貝割れ菜を散らす。

噛みやすさ、噛みにくさ早見表

噛める程度によって食品を選ぶか、調理方法に工夫を。

	噛みにくい	普通に噛める	やわらかい
主食	もち・赤飯 玄米ご飯 食パン	白米ご飯・麦ご飯 スパゲティ トースト	おかゆ・雑炊 うどん フレンチトースト
加熱した肉類	豚・鶏・牛の各もも肉 スペアリブ（加熱して）	豚ヒレ肉・牛ヒレ肉 豚ロース肉・牛ロース肉	ひき肉、鶏ささみ ハム コンビーフ
魚介類	イカ・タコ・貝類 （生も加熱しても） 白身魚の刺身（新鮮なもの）	焼き魚・つみれ かまぼこなど練り製品	煮魚・はんぺん 青背魚の刺身 帆立貝の刺身
生野菜	にんじん・セロリ キャベツ	きゅうり・レタス ピーマン	トマト 山いも
加熱野菜	こんにゃく にら・ねぎ類 しいたけ	ごぼう・れんこん 小松菜・もやし	玉ねぎ・かぼちゃ・にんじん いも類・大根・豆類 ブロッコリー・ほうれんそう
その他	りんご・梨 ピーナッツ アーモンド	柿・パイナップル・キウイ パパイア・ぶどう	いちご・バナナ・みかん 桃・メロン

※噛み心地は加熱の度合い、個人の感覚にもよります。一般に好きなものはかたくても噛みやすい傾向にあります。

PART 2
かたい素材をウマやわらかに

かたくて噛みにくい食品、でもおいしさはたっぷり！
そのおいしさを楽しむため、

①下ごしらえにひと手間
②とろみをつける
③十分火を通す
など調理法に工夫し、
ラクに楽しく食べられる料理に仕上げました。
しっかり噛める人にもおいしいので
家族みんなで楽しめます。

チーズをはさんでトロリと

しゃぶ肉の重ねカツ

1人分 490 kcal
塩分 1.1 g

材料（2人分）

豚肉（しゃぶしゃぶ用）…12枚
スライスチーズ…4枚
塩、こしょう…各少々
溶き卵…1個分
小麦粉…大さじ2
パン粉…適量
サラダ油…適量
レタス…1～2枚

作り方

1. スライスチーズは半分に切り、それぞれを半分に折る。
2. 豚肉を広げて1を1切れずつのせるa。上に豚肉を重ねてもう一度チーズをのせ、さらに豚肉をのせるb。塩、こしょうをふり、かるく押さえて形をととのえる。同様にして4個作る。
3. 溶き卵に小麦粉を混ぜる。
4. 2に3をからめ、パン粉をつける。
5. フライパンにサラダ油を1㎝高さまで入れて170℃に熱し、4をカラッときつね色に揚げる。ひと口大に切って盛り、小さくちぎったレタスを添える。

MEMO

パン粉が粗いようなら指先ですりもんで細かく。口あたりがやわらかくなり、吸油率もダウンします。

作り方 コツ

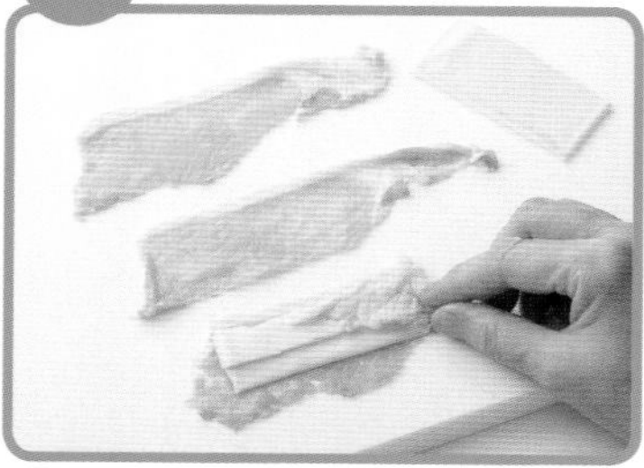

a 豚肉にチーズをのせ、端の部分は内側に折って形をととのえます。

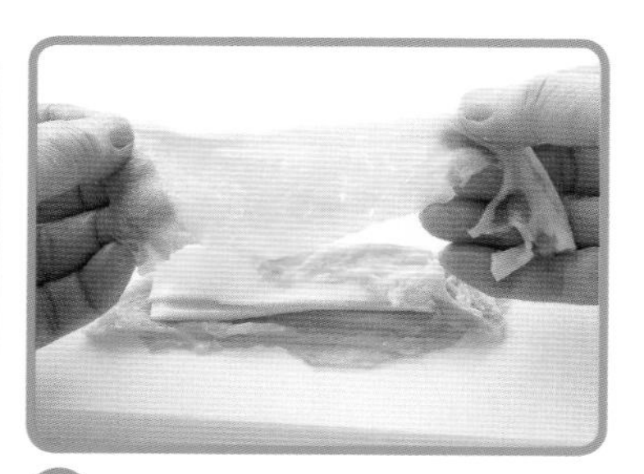

b チーズが流れ出ないよう、3枚めの豚肉で全体をおおうように重ねます。

麹の働きでとろけるようにやわらか

1人分 253 kcal
塩分 1.2 g

豚肉と根野菜の塩麹(しおこうじ)煮

材料（2人分）

豚肉（しゃぶしゃぶ用）…120g
大根…10㎝（120g）
にんじん…10㎝（100g）
［だし汁…1・1/4 カップ
　酒…大さじ 2
しょうが（せん切り）…1 かけ
塩麹（市販品）…大さじ 1・1/2 ～ 2
片栗粉…小さじ 1/2

作り方

1. 大根とにんじんをピーラーでリボン状にスライスする。
2. 鍋にだし汁と酒、しょうがを入れて火にかける。煮立ったら塩麹を加え ⓐ、大根、にんじんを入れ、大根が透き通ってきてやわらかくなるまで煮る。
3. 大根とにんじんを端に寄せて豚肉を加え、ほぐしながら色が変わる程度に火を通す。
4. 片栗粉を 2 倍量の水で溶き、3 に混ぜ入れてとろみをつける。

MEMO

塩麹は熟度によって甘みが違っています。味をみて甘みがたりなければ、みりんで補ってください。

やわらかポイント

ピーラーを使うと包丁で切るより薄く、やわらかな食感になります。

作り方コツ

ⓐ しょうがの香りの煮汁を作り、塩麹を加えます。

甘酸っぱいソースが豚肉をよりおいしく

ポークソテー、フルーツソース

1人分 404 kcal
塩分 0.4 g

材料（2人分）

豚ロース肉(トンカツ用)…2枚(200g)
ミニトマト…10個
パイナップル(生)…200g
塩、こしょう…各少々
小麦粉…適量
サラダ油…大さじ1強
A［バター…小さじ1
砂糖…ひとつまみ
塩、こしょう…各少々

作り方

1. 豚肉は5、6か所、すじ切りをするⓐ。ミニトマトはヘタを切り落とす。
2. パイナップルは粗いジュースにして豚肉にからめ、30分ほどおく。
3. ソースをぬぐい取って豚肉に塩、こしょうをし、小麦粉をまぶす。フライパンにサラダ油大さじ1を熱して豚肉を焼いて火を通し、器に盛る。
4. ③のあとのフライパンに残ったソースを入れる。ひと煮立ちさせたらAを混ぜて③にかける。
5. フライパンを拭いてサラダ油少々を熱し、ミニトマトを炒める。皮がはじけたら④に添える。

MEMO

パイナップルはカットしたものだと手軽。フードプロセッサーやミキサーなどを使うか、細かく刻んでジュースに。市販のジュースや缶詰には分解酵素が含まれていません。

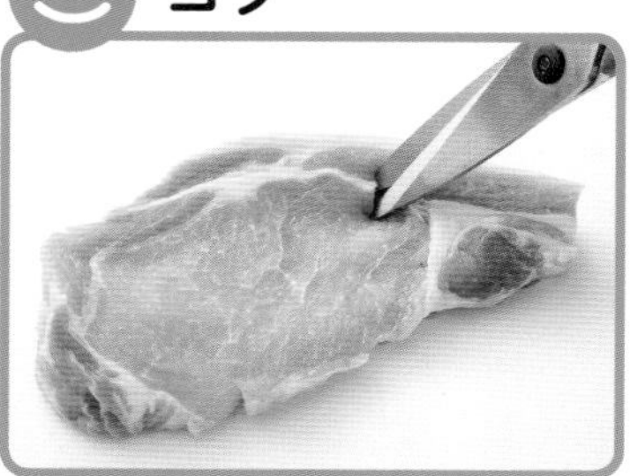

ⓐ 赤身と脂身の境目を重点的にすじ切り。キッチンばさみを使うとやりやすい。

やわらか ポイント

ジュースが全体にからむようにして30分おきます。

◆たんぱく質分解酵素とは

たんぱく質を吸収されやすい形にする酵素で、プロテアーゼともいいます。フルーツではパイナップル、キウイ、パパイヤ、いちじくに多く、ほかに納豆、麹、しょうがなどにも含まれています。

時間をかけて煮、鶏肉をやわらかに

鶏肉と大豆のトマト煮

1人分 298 kcal
塩分 1.5 g

材料（2人分）

鶏もも肉…150g
玉ねぎ…1/4 個
トマト（水煮）…120g
大豆（水煮）…小 1 缶
にんにく（みじん切り）…1 片分
サラダ油…大さじ 1/2
A ｢トマトケチャップ…大さじ 1
 スープ…1 カップ※
 ローリエ…1 枚
塩、こしょう…各少々

※水 1 カップにコンソメスープの素 1/2 個を溶いたもの。

作り方

1. 鶏肉はすじ切りをし、皮つきのまま小さめのひと口大に切る。玉ねぎは 1㎝角に切る。
2. トマトは手で粗くつぶしておく a。
3. 深めのフライパン（または鍋）にサラダ油を熱し、鶏肉の両面を焼きつけて取り出す。
4. 3のあとのフライパンににんにく、玉ねぎを入れて炒め、玉ねぎが透き通ってきたら鶏肉を戻し、大豆、トマト、**A** を加える b。煮立ったら弱火にし、ふたをして 30 分ほど煮、塩、こしょうで味をととのえる。

a あらかじめトマトをくずしておくと、ひと手間がラク。

b トマトを加えて煮る。煮汁が少なめなので煮立ったら弱火に。

パンを煮汁にひたしながら食べるとやわらかくて食べやすい。

刺身風に盛ってさわやかな演出を

ささみのくずたたき

1人分 85 kcal
塩分 0.9 g

材料（2人分）

鶏ささみ…3本（120g）
塩、こしょう…各少々
片栗粉…適量
きゅうり…1本
青じそ…2枚
A ［ポン酢じょうゆ…大さじ1～1・1/2
　　おろしわさび…適量

MEMO

梅干しの果肉をたたき、ポン酢に混ぜたものをたれにしてもおいしい。

作り方

1. ささみはすじを取りⓐ、横から切り目を入れて開き、ラップをかぶせ、めん棒などでかるくたたいてのばすⓑ。食べやすく切って塩、こしょうをし、片栗粉をまぶす。
2. 鍋に多めの湯をわかし、ささみにさっと火を通す。浮いてきたら氷水にとって冷やしておく。
3. きゅうりは斜め薄切りにし、重ねて端から細く切る。青じそはせん切りにする。
4. ささみの水気をきって3と盛り合わせ、**A**を合わせてかける。

作り方 **コツ**

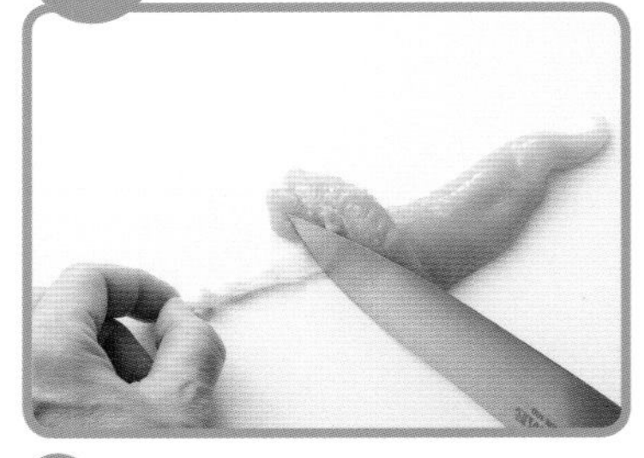

ⓐ片方の手ですじを押さえ、包丁で身をしごくようにしてすじを取ります。

ⓑめん棒でたたき広げておくとやわらかく、火も通りやすくなります。

ささみは約30秒、中心部にちょうどよく火が通るタイミングにゆでて。

ふっくらと火の通った牛肉がやわらか

ハッシュドビーフ

1人分 694 kcal
塩分 2.1 g
(ご飯を含む)

材料(2人分)

牛肩ロース肉(切り落とし)…150g
塩、こしょう…各適量
小麦粉…大さじ1
玉ねぎ…小1個
しめじ…1パック
サラダ油…大さじ1

A
- デミグラスソース…100g
- スープ…3/4カップ※
- 赤ワイン…1/4カップ
- トマトケチャップ…大さじ2
- ウスターソース…大さじ1/2

ご飯…茶わん2杯分(300g)

※水3/4カップにコンソメスープの素1/2個を溶いたもの。

作り方

1. 牛肉はひと口大に切り、塩、こしょう各少々をふって薄く小麦粉をまぶすa。
2. 玉ねぎは縦半分に切り、繊維を短く切る方向に半月の薄切り。しめじは小房に分ける。
3. フライパンにサラダ油を熱し、玉ねぎを中火で炒める。しんなりしたら、牛肉、しめじを加えてかるく炒める。
4. Aを加え、煮立ったら弱めの中火にしてときどき混ぜながら7〜8分煮、塩、こしょう各少々で味をととのえる。
5. 器にご飯を盛って4をかける。

MEMO

豚肩ロース肉で作っても安上がりでおいしい。

作り方 コツ

a 茶こしを使うと均一になり、余った小麦粉は容器に戻せるので無駄になりません。

牛肉に赤い部分が残っている段階でソースを。ときどき混ぜながら煮、煮過ぎないように。

1人分 236 kcal
塩分 2.1 g

はちみつ効果でしっとり、甘辛く

サケの照り焼き

材料（2人分）

生ザケ…2切れ
小麦粉…適量
A
- はちみつ…大さじ2
- しょうゆ…大さじ1・1/2
- 酒…大さじ2

サラダ油…小さじ2
おたふく豆（あれば）…4粒

作り方

1. サケに小麦粉を薄くまぶす。Aは混ぜ合わせておくⓐ。
2. フライパンにサラダ油を熱し、サケの両面を焼く。フライパンに出た脂をクッキングペーパーで拭いてAを入れ、サケにからめながら煮詰める。
3. 器に盛り、あればおたふく豆を添える。

作り方 コツ

ⓐ はちみつにしょうゆを加えると混ざりやすい。

とろりフワフワな口あたりが楽しみ！

サケのかぶら蒸し

1人分 147 kcal
塩分 1.3 g

材料（2人分）

- 生ザケ…2切れ
- 塩、酒…各少々
- かぶ…大1個
  - 卵白…1/2個分
  - 塩…ふたつまみ
- 白菜（葉の部分）…大1枚分
- A
  - だし汁…1/2カップ
  - みりん…小さじ2
  - うす口しょうゆ…小さじ2
  - しょうが汁…小さじ1
- 片栗粉…小さじ1/2
- 水…小さじ1
- おろしわさび…適量

やわらかポイント

かぶに卵白、塩を加え、ふんわりするまで箸でよく混ぜる。

作り方

1. サケは半分に切って塩、酒をふる。白菜は細く切る。
2. かぶはすりおろして水気をかるく絞り、卵白と塩を混ぜる。
3. 器2枚に白菜を敷いてサケをのせ、上にふんわりと②をのせる。
4. 深さのあるフライパンにクッキングペーパーを敷き、水を2㎝高さまで注いで火にかける。沸騰したら③を入れ、ふたをして弱めの中火で8～10分蒸す（54ページ参照）。
5. **A**を小鍋で煮立て、水で溶いた片栗粉を混ぜる。とろみがついたら④にかけ、わさびを添える。

とろみあんで魚がしんなりと

揚げタラの野菜あん

1人分 148 kcal
塩分 1.2 g

材料（2人分）

生ダラ…2切れ
塩、片栗粉…各少々
揚げ油…適量
にんじん…3㎝
絹さや…5～6枚
玉ねぎ…1/6個
しいたけ…2枚
A だし汁（または水）…2/3カップ
　めんつゆ（3倍濃縮）…大さじ1
　しょうが汁…小さじ1
片栗粉…小さじ1/2

作り方

1. にんじんと絹さやは細切り、玉ねぎは薄切りにする。しいたけは軸を取って細切りにするⓐ。
2. 鍋にAと1を入れて火にかける。やわらかくなったら、片栗粉を2倍量の水で溶いて混ぜ入れ、とろみをつける。
3. タラは1切れを3～4つに切り、塩をふって片栗粉をまぶす。揚げ油を170℃に熱し、カラリと揚げる。
4. 器に揚げたタラを盛り、2をかける。

作り方 コツ

ⓐ しいたけが肉厚なら、厚みを半分に切ってから細く切ると形がそろいます。

やわらか ポイント

あんの仕上げに水溶き片栗粉を入れてとろりと。

1人分 196 kcal
塩分 0.8 g

昆布、オクラのとろみで魚がしっとりします

サワラと豆腐の酒蒸し

材料（2人分）

サワラ…2切れ
塩…少々
木綿豆腐…1/3丁(100g)
オクラ…2本
昆布…10㎝
酒…大さじ1
ポン酢じょうゆ…適量

作り方

1. 昆布は半分に切り、水1/3カップに15～20分ひたす。サワラは半分に切って塩をふる。豆腐は4等分に切り、オクラは小口切りにする。
2. 器2枚に昆布を敷き、サワラ、豆腐を交互に並べてオクラを添え、昆布のひたし汁、酒各大さじ1ずつをふる。
3. 深さのあるフライパンにクッキングペーパーを敷いて水を2㎝高さまで注いで火にかける。沸騰したら2を入れ、ふたをして弱めの中火にし、約10分蒸す。取り出してポン酢じょうゆをかける。

やわらか **ポイント**

フライパンで蒸すと手軽。

MEMO

電子レンジなら、耐熱性の器に入れてラップをかけ、500Wで2分30秒加熱します。

大根を薄く切って短時間仕上げ

ブリ大根

1人分 262 kcal
塩分 0.9 g

材料（2人分）

ブリ…2切れ
大根…1/5本(200g)
しょうが…1かけ
だし汁(または水)…3/4カップ
酒…1/4カップ
めんつゆ(3倍濃縮)…大さじ3
砂糖…小さじ1

やわらかポイント

スライサーを使うと手軽。短時間でやわらかくなり、味もよくしみます。

作り方

1. ブリは3～4切れずつに切り、ざるに並べて熱湯を回しかける。
2. 大根は皮をむき、スライサーで薄い輪切りにする。しょうがは皮をむいてせん切りにする。
3. 鍋にだし汁と酒、大根、しょうがの皮を入れて火にかける。煮立ったら弱火にして5～6分煮る。
4. ブリを加え、再び煮立ったらめんつゆ、砂糖を加え、落としぶたをして弱めの中火で5～6分煮る。
5. しょうがの皮を除き、煮汁が多ければ煮詰めて器に盛り、せん切りしょうがを添える。

冬瓜のとろけそうなやわらかさにエビのうまみ

1人分 116 kcal
塩分 1.9 g

冬瓜（とうがん）とエビのうすくず煮

材料（2人分）

エビ(殻つき）…中6尾
酒、塩…各少々
片栗粉…適量
冬瓜…300g
だし汁…1・1/2カップ
みりん…大さじ1
うす口しょうゆ…大さじ1
おろししょうが…小1かけ分

作り方

1. エビは殻をむき、背から切り込みを入れて開きa、背ワタを除く。身を上にしてまな板にのせ、細かい斜めの切り目を入れ、酒、塩をふる。
2. 冬瓜は種の部分を切り落とし、2×3㎝角に切って厚めに皮をむく。
3. 鍋に2とだし汁を入れ、煮立ってから3分煮る。みりん、しょうゆを加え、クッキングシートをじかにかぶせてやわらかくなるまで15～20分煮る。
4. エビに片栗粉をまぶして3に加え、赤くなる程度にさっと煮、おろししょうがを加え、火を止める。

a エビの背側から切り目を入れて開きます。

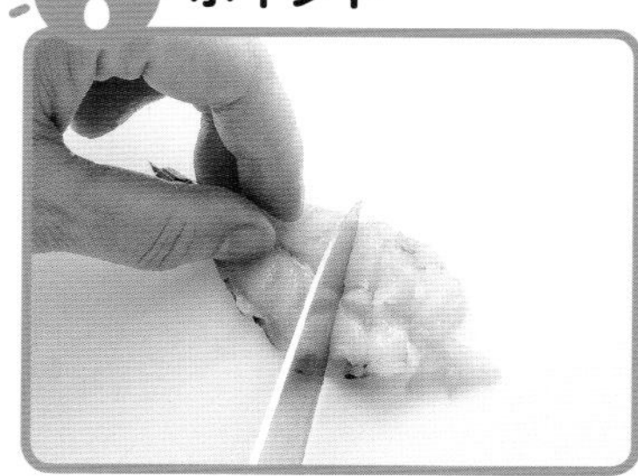

エビに切り目を入れ、加熱しても食べやすいようにします。

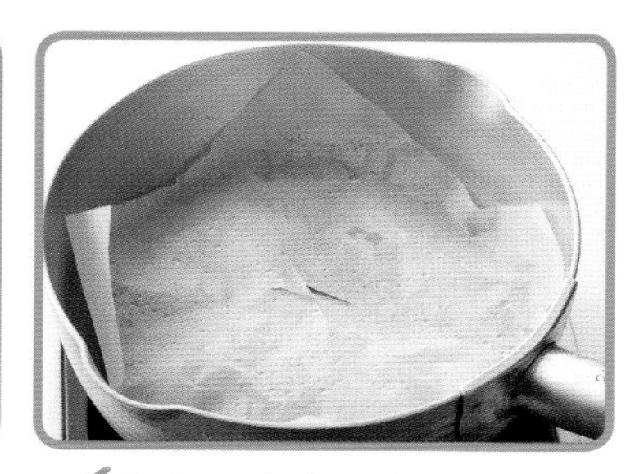

中央に十字の切り目を入れたクッキングシートを液面に触れるようにかぶせ、落としぶた代わりにしてじっくり煮ます。

ゆでたキャベツを極ウマソースで

キャベツのマヨクリームグラタン

1人分 375 kcal
塩分 0.9 g

材料（2人分）

キャベツ…大2枚(200g)
ゆで卵…2個
塩、こしょう…各少々

A
- 生クリーム…1/3カップ
- マヨネーズ…大さじ3
- カレー粉…小さじ1/4
- 塩、こしょう…各少々

粉チーズ…大さじ1/2
パン粉…大さじ1/2

ポイント

キャベツをクタッとなるまでゆでます。

作り方

1. キャベツは小さめのひと口大に切り、多めの湯でやわらかくゆでてざるに。
2. 耐熱皿に薄くバター（分量外）を塗り、1、4つ割りにしたゆで卵をのせ、塩、こしょうをふる。
3. Aを混ぜ合わせて2にかけ、粉チーズとパン粉を混ぜたものをふる。220～230℃に熱したオーブンで8～10分、焼き色がつくまで焼く。

ウマやわらかに

1人分 574 kcal
塩分 0.5 g

野菜多めのやさしい味

キャベツ入りカルボナーラ

材料（2人分）

キャベツ…大2枚(200g)
マカロニ…120g
A
- 卵黄…2個
- 粉チーズ…大さじ2
- 生クリーム…1/2カップ
- 牛乳…1/3カップ
- 塩、こしょう…各少々

サラダ油…大さじ1/2

作り方

1. キャベツは小さめのひと口大にちぎる。
2. 湯2ℓをわかして塩小さじ2（分量外）を入れ、マカロニをゆでる。ゆであがりの4分前にキャベツを入れて一緒に4分間ゆでⓐ、ざるにあげる。
3. フライパンにサラダ油を熱し、**A**を入れて手早く混ぜ、❷を加えてあえる。

MEMO

外国産に比べ、日本製マカロニはゆであがりがやわらかです。ゆで時間が4分とあるものは最初からキャベツと一緒に4分間ゆでます。

作り方 **コツ**

ⓐ マカロニと一緒にキャベツをゆでるとひと手間ラクに。

1人分 157 kcal
塩分 2.8 g

ご飯に合う家庭風おそうざい

小松菜とちくわの卵とじ

材料（2人分）

小松菜…3株（150g）
ちくわ…1本
卵…2個

A
- だし汁…1カップ
- みりん…大さじ2
- うす口しょうゆ…大さじ1・1/2

作り方

1. 小松菜は根元を切り落としてよく洗い、1㎝幅に切る。
2. ちくわは3㎜厚さの輪切りにする。
3. フライパンに**A**を入れて火にかける。煮立ったら1、2を入れ、小松菜がやわらかくなるまで煮る。
4. 卵を溶きほぐして3に回し入れ、半熟状になったら火を止め、ふたをして好みのかたさになるまでおく。

やわらか **ポイント**

小松菜の茎は煮てもかたいので、短く切って食べやすく。

のりが他の材料の水分を吸ってやわらかに

レタスの卵巻き

1人分 63 kcal
塩分 0.8 g

材料（2人分）

レタス…大2枚
卵…2個
塩、こしょう…各少々
サラダ油…小さじ1
スモークサーモン…50g
焼きのり…1枚

作り方

1. レタスはやわらかい緑色の部分を使い、熱湯でさっとゆでる。しんなりしたら水にとってさまし、5mm幅に切る。
2. 卵は溶きほぐし、塩、こしょうを混ぜる。卵焼き器にサラダ油小さじ1/2を熱して卵液の半量を流し入れ、薄く広げて薄焼き卵にする。同様にもう1枚焼く。
3. 巻きすに薄焼き卵をのせ、半分に切ったのり、スモークサーモン半量の順に重ね、1の半量をのせて a 巻く。同様にもう1本作る。
4. しばらくおいてしんなりとしたら3cm幅に切り分ける。

作り方 **コツ**

a 中央にレタスを重ね、内側に押し込むようにして巻きます。

煮くずれる直前までよく煮て

ラタトゥイユ風くたくた煮

材料（2人分）

1人分 184 kcal
塩分 0.8 g

なす…1個
ズッキーニ…小1本
パプリカ（黄）…小1個
玉ねぎ…小1個
トマト（水煮）…100g
にんにく（薄切り）…1片
オリーブ油…大さじ1・1/2
A［水…1/2カップ
コンソメスープの素…1/2個
白ワイン…1/4カップ
ローリエ（あれば）…1枚］
酢、砂糖…各小さじ1
塩、こしょう…各少々

作り方

1. しま状に皮をむいたなす、ズッキーニは1㎝幅の輪切り、パプリカは小さめのひと口大、玉ねぎは1㎝幅の輪切りにする。
2. フライパンにオリーブ油、にんにくを入れて火にかける。香りが立ったら1を加えて炒め、つぶしたトマト、**A**を加えるa。煮立ったら弱火にし、ふたをしてやわらかくなるまで煮る。
3. 酢、砂糖を加え、塩、こしょうで味をととのえる。

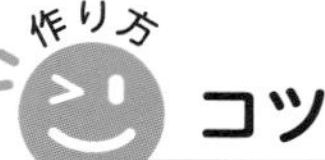
作り方 コツ

a 手でつぶしたトマトを加えてやわらかく煮ます。

MEMO

温かいうちも、冷たくてもおいしく食べられます。

食卓に一品はのせたい緑色野菜

ピーマンのごま酢あえ

1人分 74 kcal
塩分 0.6 g

材料（2人分）

ピーマン…4～5個(150g)
すり白ごま…大さじ2

A
- 砂糖…小さじ2
- 酢…小さじ2
- しょうゆ…小さじ2

作り方

1. ピーマンは縦半分に切ってヘタと種を除き、横に細く切る。
2. 鍋に湯をわかして1をやわらかくゆで、ざるにあげてさます。
3. すりごまにAを混ぜる。
4. ピーマンを3であえる。

ポイント

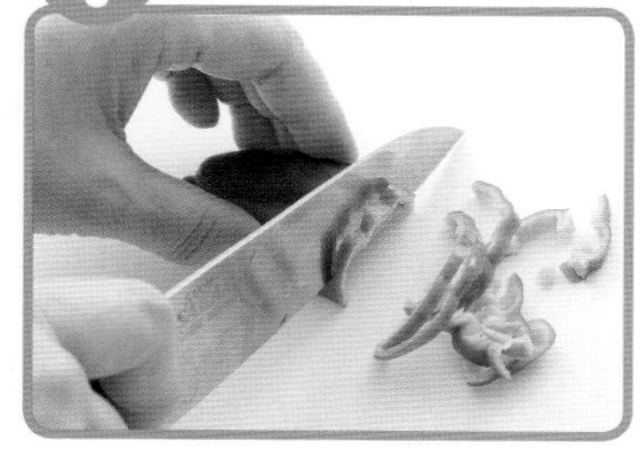

ピーマンは繊維を短く切る方向に細切り。縦に4つ切りにしてから細く切ると、より食べやすくなります。

とろりとチーズでコクのある

野菜のチーズ焼き

材料（2人分）

1人分	179 kcal
塩分	1.2 g

にんじん…1/3本
玉ねぎ…1/2個
ピーマン…2個
キャベツ…大1～2枚
サラダ油…小さじ2
A［コンソメスープの素…1/2個
　水…1/2カップ
　塩、こしょう…各少々
ピザ用チーズ…40g
粗びき黒こしょう…少々

作り方

1. にんじんは短冊切り、玉ねぎは繊維を短く切る方向に薄切り、ピーマンは縦半分に切って種とヘタを除き、横1㎝幅に切る。キャベツは芯を切り取って1㎝幅に切る。
2. フライパンにサラダ油を熱し、1を炒める。油が回ったらAを加え、ふたをして蒸し煮にする。
3. 野菜がやわらかくなったらチーズを散らし(a)、もう一度ふたをしてチーズがとろけるまで火を通す。
4. 器に盛り、粗びき黒こしょうをふる。

作り方 コツ

(a) チーズをほぐしながら全体に均一にのせます。

ホロホロとした明太子をまとわせて

にんじんの明太子炒め

1人分 102 kcal
塩分 1.4 g

材料（2人分）

にんじん…1本
明太子（ほぐし身）…大さじ1・1/2
サラダ油…大さじ1/2
バター…大さじ1/2
塩、こしょう…各少々

作り方

1. にんじんはせん切りにする。
2. フライパンにサラダ油を熱して1をしんなりするまでよく炒める。
3. バター、明太子を加えてさらに炒める。明太子がパラパラになったら塩、こしょうで味をととのえる。

やわらか **ポイント**

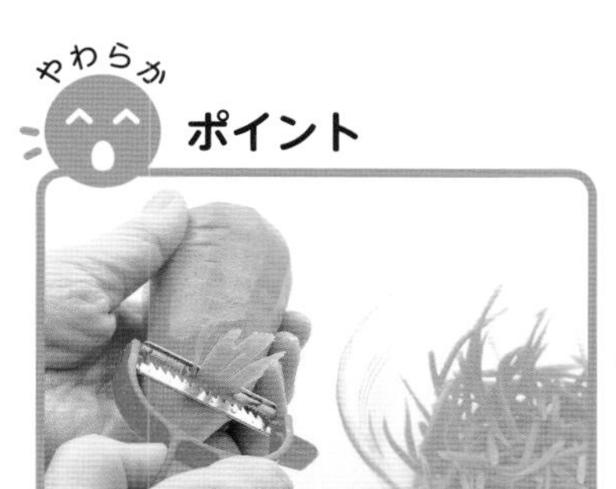

にんじんのせん切りは、細切り用ピーラーを使うとラク。包丁で細いせん切りにしてもOK。

1人分 189 kcal
塩分 2.0 g

根野菜がしっとり豆腐をまといます

根菜入りいり豆腐

材料（2人分）

木綿豆腐…1/2丁（150g）
ごぼう…1/4本
にんじん…1/4本
長ねぎ…1/4本
しょうが…小1かけ
豚ひき肉…40g
サラダ油…小さじ2
A
- 砂糖…小さじ2
- うす口しょうゆ、酒…各大さじ1
- だしの素（顆粒）…小さじ1/2

ごま油…小さじ1/2

作り方

1. 豆腐はクッキングペーパーに包み、皿1枚をのせて15分おき、しっかり水きりをする。
2. ごぼうとにんじんはピーラーで短めのささがきにし、ごぼうは水につける。長ねぎは小口切り、しょうがはせん切りにする。
3. 鍋にサラダ油を熱し、ごぼう、にんじんの順に入れてしんなりするまで炒める。ひき肉を加えてさらに炒め、パラパラになったら長ねぎ、しょうがを加えてさらに炒める。
4. 豆腐をくずしながら入れて炒め合わせ、**A**を加えてしっとりするまで炒め煮に。煮汁が少なくなったらごま油をふる。

MEMO

ささがきのやり方は72ページにあります。

ホロリとくずれる直前まで煮て

鶏肉とごぼうのじっくり煮

1人分 175 kcal
塩分 0.9 g

材料（2人分）

鶏もも肉…120g
ごぼう…小1本(150g)
だし汁…1・1/2カップ
めんつゆ(3倍濃縮)…大さじ1
赤唐辛子…小1本

作り方

1. ごぼうはたわしでこすり洗いし、水気を拭く。長さを3等分に切り、まな板にのせてめん棒でたたき、ひと口大に切って水につける。
2. 鶏肉はすじを切ってひと口大に切り、赤唐辛子は半分に切って種を除く。
3. 鍋にごぼうとだし汁を入れて火にかける。煮立ったら弱火にし、落としぶたをして10分ほど煮る。
4. 鶏肉を加え、ひと煮してからめんつゆ、赤唐辛子を加え、さらに25～30分、ごぼうがやわらかくなるまでじっくり煮る。

ごぼうをたたいて割れ目をつけ、火を通りやすくします。

MEMO

鶏肉は皮つきで煮、皮が噛みにくければ、食べるときに除きます。

れんこんの水分＋でんぷん力でしっとり

れんこん入り和風バーグ

1人分 287 kcal
塩分 1.3 g

材料（2人分）

豚ひき肉…150g
れんこん…150g
長ねぎ（みじん切り）…5㎝
しょうが（みじん切り）…1かけ
［塩…小さじ1/4
片栗粉…大さじ1
サラダ油…大さじ1
青じそ、大根おろし…各適量
しょうゆ…少々
レモン（あれば）…2切れ

作り方

1. れんこんは皮をむき、半量はすりおろし、残り半量は5㎜角に切る。
2. ボウルにひき肉、1、長ねぎ、しょうが、塩、片栗粉を入れて混ぜⓐ、4等分して小判形にととのえる。
3. フライパンにサラダ油を熱して2を並べ入れ、両面を焼いて中まで火を通す。
4. 器に盛り、青じそに大根おろしをのせてしょうゆをふり、レモンを添える。

MEMO

噛む力が弱っているときは、れんこん全量をすりおろして混ぜます。

やわらか **ポイント**

れんこん半量をすりおろすとふんわりやわらかに。加熱するとしっとりまとまります。

作り方 **コツ**

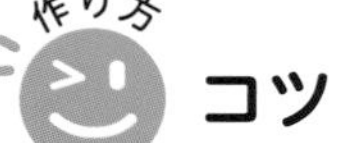

ⓐ 両方のれんこんをひき肉に混ぜます。ざっと混ざっていればOK。

トマトの甘味＋すっきり酸味

ミニトマトの和風マリネ

材料（2人分）

1人分 35 kcal
塩分 0.7 g

ミニトマト（赤）…8～10個
ミニトマト（黄）…8～10個
A
- すし酢、水…各大さじ2
- 塩…ふたつまみ
- しょうが汁…小さじ1
- しょうが（薄切り）…小1かけ

作り方

1. ボウルに**A**を入れて混ぜておく。
2. ミニトマトはヘタを切り落とす。
3. 鍋に湯をわかして火を止め、②をさっとくぐらせてざるにとり、少し冷ます。はじけたところから皮をむき、①につけて味をなじませる。

きゅうりがしんなりして食べやすい

きゅうりのめんつゆ漬け

材料（2人分）

1人分 20 kcal
塩分 1.3 g

きゅうり…1本
塩…少々
めんつゆ（3倍濃縮）…大さじ2
赤唐辛子（小口切り）…1/2本分

作り方

1. きゅうりは蛇腹（じゃばら）切りにし（72ページ参照）、塩をすり込んでしばらくおく。
2. ボウルにめんつゆ、赤唐辛子を入れる。
3. きゅうりがしんなりしたらひと口大に切って水気を拭き、②に漬けて15分ほどおく。

ひんやり、トロリとのど越しのよい

長いもの寒天寄せ

1人分 43 kcal
塩分 0.9 g

材料（2～4人分）

長いも…200g
- 粉寒天…2g
- 水…3/4カップ

塩…ふたつまみ
みりん…小さじ2
- めんつゆ（3倍濃縮）…大さじ2
- だし汁…大さじ5～6

おろしわさび…適量

作り方

1. 長いもは皮をむいてすりおろす。
2. 鍋に粉寒天と水を入れて火にかけ、かき混ぜる。煮立ったら弱火にして1分強、かき混ぜながら寒天を煮溶かす。溶けたら塩、みりんで味つけし、①を混ぜ入れる。
3. 流し缶、またはバットなどを水でぬらして②を流し入れ、冷蔵庫で冷やし固める。
4. 食べやすく切って器に盛り、めんつゆとだし汁（または水）を合わせたものをかけ、わさびを添える。

やわらかくする　食べやすくする

切り方・下ごしらえ

はじめの噛みきる、噛みくだくなど大きな力が必要なところを包丁にまかせて。

なます切りに

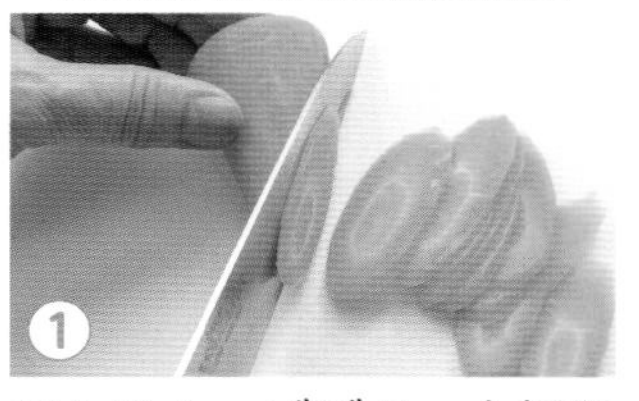

にんじん、ごぼう、大根などを斜めに薄く切ります。

切ったものを少しずつずらして重ね、斜めに細切り。

鹿の子に切り目

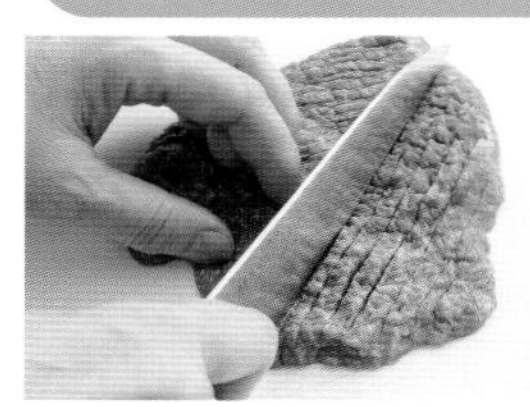

細かい斜め格子に切り目を入れること。イカ、タコも。

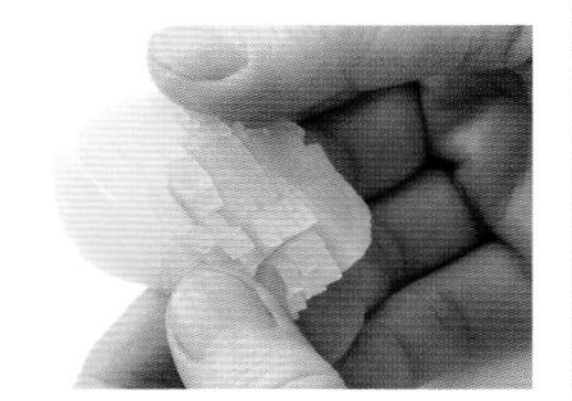

たくあんやこんにゃく、かまぼこも同様に。

すじを切る

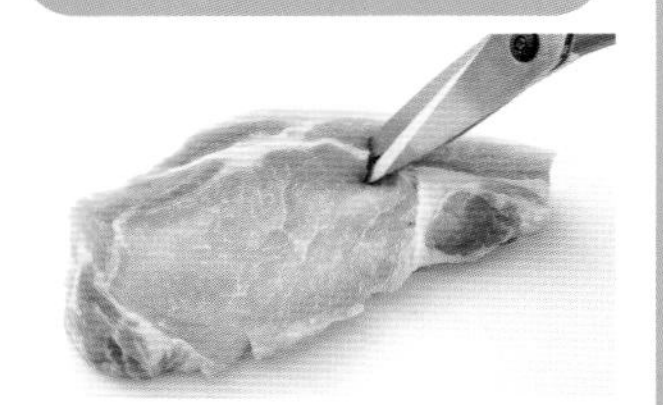

縮んでかたくなる肉のすじを切ります。

エビのすじは横に走っていますから、斜めに切り目を。

皮に切り目

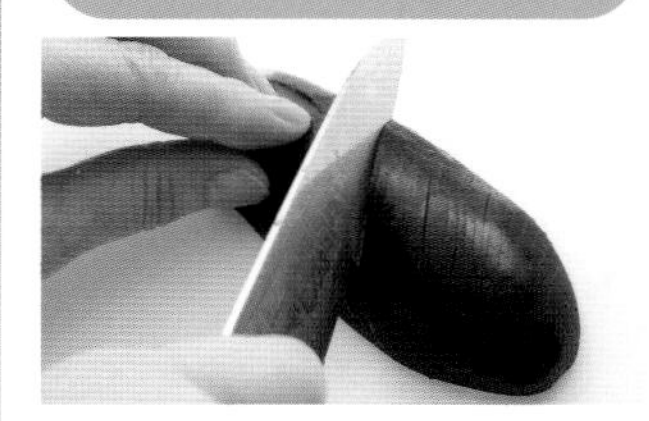

皮に浅く、細かい斜めの切り目を入れます。

繊維を短く

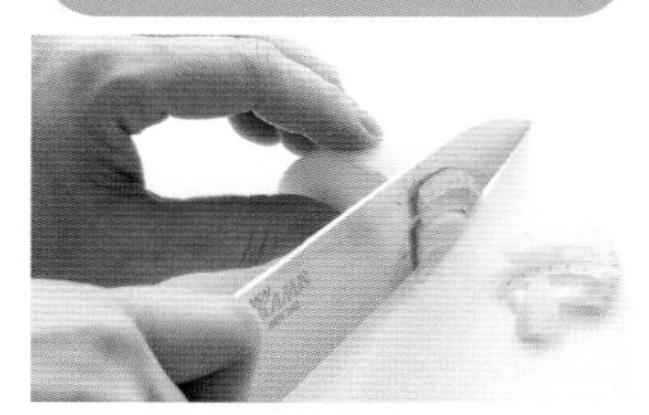

玉ねぎは半分、または４つ割りにして薄切りに。

蛇腹に切る

両側に割り箸を置き、細かい斜めの切り目を入れます。

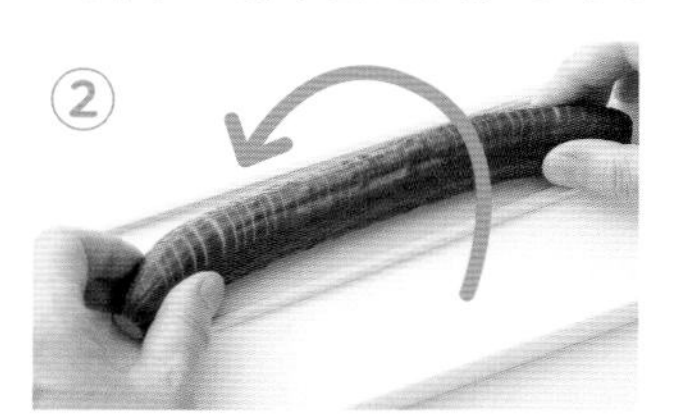

矢印の方向に 180 度回転させ、包丁は同じ向きのまま、細かい切り目を入れていきます。

皮を湯むき

熱湯にくぐらせて水にとり、はがれてきた皮をむきます。

ささがき

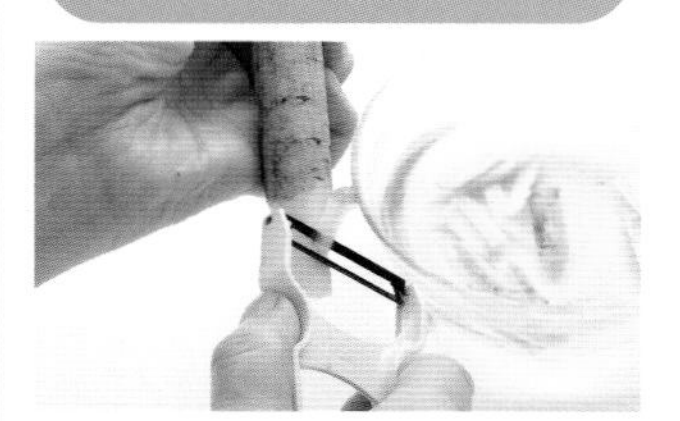

包丁で鉛筆を削る要領で。ピーラーを使えばラク。

※**なます切り**…せん切りの一種で、繊維が短くて噛みやすい。おせち料理の「なます」に用いる切り方です。

PART 3
食べたい、を食べられる！に

ときにはがっつりと肉のかたまり、繊維の多い野菜、
あれ、食べたい！　けれど食べられない。
そう思ってあきらめている料理でも
ほんの少しの工夫で、食べられるようになります。
食べたい、が、食べられるようになると
食卓に笑みがこぼれます。

ステーキが！ 玉ねぎマリネでやわらかさ UP ！

シャリアピンステーキ

1 人分 382 kcal
塩分 0.6 g

材料（2 人分）

牛もも肉…2 枚（200g）
玉ねぎ…2 個（400g）※
塩、こしょう…各少々
バター…大さじ 2
パセリ…適量
じゃがいも…1 個
A バター…大さじ 1/2
牛乳…大さじ 2 ～ 3
塩、こしょう…各少々

※大・中の玉ねぎがあれば、マリネ用に中 1 個（150g）、ソース用に大 1 個（250g）と使い分けて

作り方 コツ

a ラップの上からめん棒で、牛肉をたたきのばします。

やわらか ポイント

包丁で牛肉の両面に浅く、細かい格子状の切り目を入れます。

牛肉におろし玉ねぎをからめ、30 分おいてやわらかくします。

作り方

1. 玉ねぎ 3/4 個（150g）はすりおろしてマリネ用に、残りはみじん切りにしてソース用にする。
2. 牛肉をめん棒で 6 ～ 7㎜厚さにたたきのばしa、両面に切り目を入れる。マリネ用の玉ねぎをからめ、ラップをぴっちりかけて冷蔵室に 30 分おく。
3. 牛肉を取り出してマリネ液を落とし、クッキングペーパーで拭いて塩、こしょうをふる。フライパンにバター大さじ 1 を溶かし、牛肉の両面を強めの中火で 30 ～ 40 秒ずつ焼き、器に取り出す。
4. バター大さじ 1 を足し、みじん切り玉ねぎを甘みが出るまで炒めて塩、こしょうをし、3にかけ、パセリを添える。
5. じゃがいもは耐熱皿にのせてラップをかけ、電子レンジ 500W で 1 分 30 秒加熱し、上下を返してさらに 1 分 30 秒加熱。皮をむいてつぶし、**A** を混ぜて4に添える。

豚肉がホロッとくずれる寸前のやわらかさに

ごろごろ肉のカレー

1人分 1006 kcal
塩分 2.5 g
(ご飯を含む)

材料(2人分)

豚バラ肉(かたまり)…250g
- 塩、こしょう…各少々
- カレー粉…小さじ1/2

じゃがいも…2個
玉ねぎ…1/2個
にんじん…1/2本
サラダ油…小さじ1
カレールウ(市販品)…2皿分
- 米…1合(180mℓ)
- ターメリック…小さじ1※

※黄色の色素を含み、消化を助ける効果があるとされます。普通の白いご飯にしてもOK。

作り方

1. 豚肉は3cm角に切り、塩、こしょうをしてカレー粉をまぶす。
2. じゃがいもは皮をむいてひと口大に切る。玉ねぎは薄切りにする。
3. 鍋にサラダ油を熱し、豚肉の表面全体を焼きつけて取り出す。あとの鍋で玉ねぎをしんなりするまで炒めて水3カップを加え、豚肉を戻す。煮立ったら弱火にし、25～30分煮る。
4. じゃがいも、すりおろしたにんじんを入れa、やわらかくなるまで煮る。カレールウを加えて溶かし、とろみがつくまで弱火で煮込む。
5. 米をといで炊飯器に入れ、水加減をし、ターメリックをふり込んで炊く。器に盛り、4のカレーに添える。

やわらか **ポイント**

弱火でことこと、やわらかくなるまで煮ます。圧力鍋なら、水を半量にし、加圧タイムは約10分、様子をみて加減します。

作り方 **コツ**

a すりおろしたにんじんを入れるとカレーにとろみがつきます。

切り目を入れて味のしみ込みをよく、やわらかさもUP！

鶏肉のやわ唐揚げ

1人分 331 kcal
塩分 1.9 g

材料（2人分）

鶏もも肉…大1枚（250g）
おろしにんにく…1片分

A
- しょうゆ…大さじ1
- 酒…小さじ2
- 塩…ふたつまみ

片栗粉…適量
揚げ油…適量
レモン（くし形切り）…2切れ

作り方

1. 鶏肉は皮を下にまな板にのせ、白いすじを切る。身の厚い部分に深い切り目を入れてから、さらに細かい切り目を入れ、ひと口大に切る。
2. ボウルに1、おろしにんにく、**A**を入れて汁気をすっかり吸うまでもみ込みa、片栗粉をまぶす。
3. 揚げ油を170℃に熱し、2を入れて4～5分、表面がカリッとなるまで揚げる。
4. 器に盛り、くし形に切ってさらに半分に切ったレモンを添える。

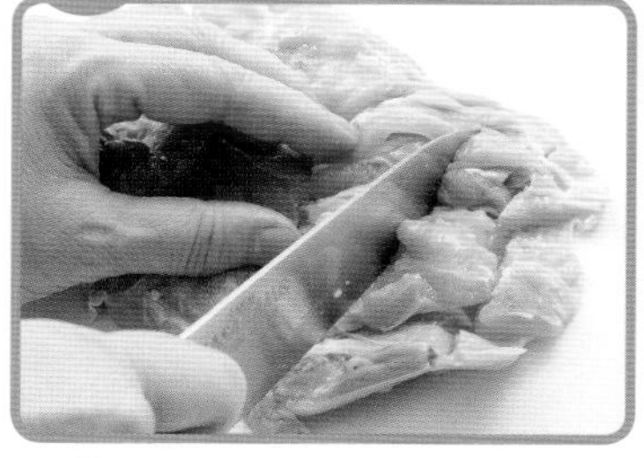

もも肉の最も身の厚い部分に、皮に届くほどの深い切り目を入れます。

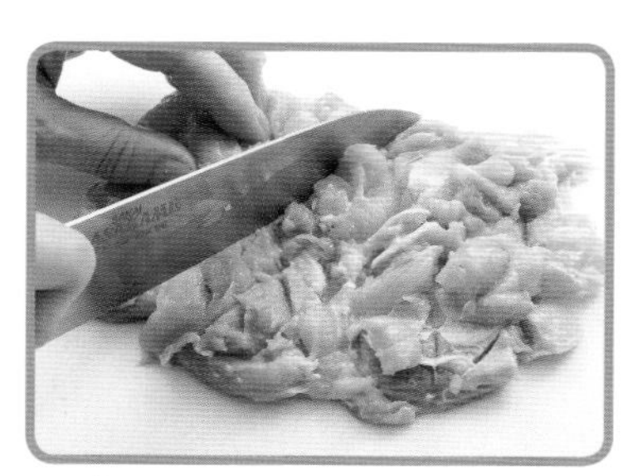

身のほうにも浅い、斜め格子の切り目を入れます。

a 汁気をすっかり吸うまでもみ込んで。にんにくにもやわらか効果があります。

トロトロになるまで煮込んだ

ロールキャベツ

1人分 271 kcal
塩分 2.0 g

材料（2人分）

キャベツの葉…大4枚、小4枚
牛豚合いびき肉…120g
- 生パン粉…20g
- 牛乳…大さじ3

玉ねぎ（みじん切り）…1/4個
溶き卵…1/4個分

A
- トマトソース（市販品）…150g
- スープ…1・1/2カップ※
- 白ワイン…大さじ2
- ローリエ（あれば）…1枚

塩、こしょう…各適量

※水1・1/2カップにコンソメスープの素1/2個を溶いたもの。

作り方

1. キャベツは太い芯を薄くそぎ取る。たっぷりの湯をわかし、キャベツをしんなりするまでゆで、ざるに広げてさまし、塩、こしょう各少々をふる。
2. パン粉に牛乳を混ぜてやわらかくする。
3. ボウルにひき肉、2、玉ねぎ、溶き卵、塩、こしょう各少々を入れて粘りが出るまでよく混ぜ、4等分してかるくまとめる。
4. キャベツの大、小を1枚ずつ重ね、3を俵形に巻いてaつま楊枝でとめるb。
5. 鍋に並べ入れ、**A**を加えて火にかける。煮立ったら弱火にし、30～40分煮込み、塩、こしょうで味をととのえる。

やわらか ポイント

パン粉を入れると、中身がやわらかに。手でよくこね混ぜます。

作り方 コツ

a 小さいほうの葉でしっかり包んでから、大きいほうの葉で包みます。

b 巻き終わりをつま楊枝でとめます。鍋にきっちり入るようなら、なくてもOK。

MEMO

煮込む工程を圧力鍋に任せても。スープを半量にし、加圧タイムを10分に。加圧後、ふたを開けて少し煮詰めます。

1人分 393 kcal
塩分 1.7 g

口の中で肉がほぐれて食べやすい

くしゅくしゅ黒酢豚

材料（2人分）

豚肉（切り落とし）…150g
- 酒、しょうゆ…各小さじ1
- しょうが汁…小さじ1

片栗粉…適量
パプリカ（赤、黄）…各1/2個

A
- 黒酢…大さじ2
- トマトケチャップ…大さじ1
- 砂糖、酒、しょうゆ…各大さじ1
- 水…1/3カップ
- 鶏ガラスープの素…小さじ1/2
- 片栗粉…大さじ1/2

揚げ油…適量

作り方

1. 豚肉に酒、しょうゆ、しょうが汁をもみ込み、ひと口大にくしゅっとまとめ、片栗粉をまぶすⓐ。パプリカはひと口大の乱切りにする。
2. 小鍋にAを入れて中火で混ぜながらとろみがつくまで煮立てる。
3. フライパンで揚げ油を170℃に熱し、パプリカを1分ほど揚げて取り出す。続いて豚肉を3～4分かけて揚げ、一緒に❷の黒酢あんをからめる。

コツ

ⓐ ゆるくまとめた肉に片栗粉をまぶします。

パサつきがちな焼き魚をしっとり

サケのチーズホイル焼き

1人分 200 kcal
塩分 1.7 g

材料（2人分）

生ザケ（骨なし）…2切れ
玉ねぎ…1/4個
白菜（葉の部分）…1枚分
スライスチーズ…2枚
塩、こしょう…各少々
みそ…小さじ2
酒…大さじ1
すだち…1個※
※レモンでもよい。

作り方のコツ

ⓐ サケに直接かけないようにして酒を注ぎます。

作り方

1. サケは2等分のそぎ切り、玉ねぎは薄切り、白菜は細く切る。
2. 25㎝長さのアルミホイルを2枚用意し、中央に玉ねぎ、白菜を敷き、かるく塩、こしょうをふってサケをのせる。サケにみそを塗り、縁から酒を注ぐⓐ。半分に折ったチーズをのせてアルミホイルでふんわり包む。
3. フライパンに❷を入れて弱めの中火にかけ、ふたをして3～4分焼く。周囲に湯1/2カップを注ぎ、ふたをしてさらに2～3分蒸し焼きにする。器に盛り、半分に切ったすだちを添える。

食べやすさに工夫、手作りならではの

おうち天ぷら

1人分 541 kcal
塩分 0.3 g

材料（2人分）

エビ…2尾
アジ（三枚におろしたもの）…2尾
なす…1個
にんじん…3㎝（20g）
青じそ…4枚
天ぷら粉…2/3カップ
水…2/3カップ弱
天つゆ…適量
大根おろし…適量
揚げ油…適量

やわらか ポイント

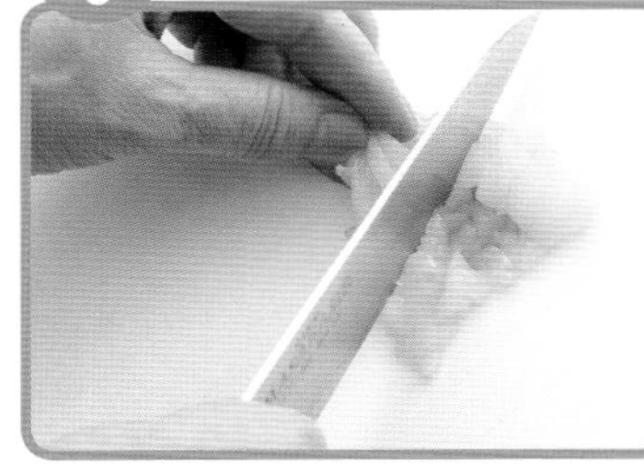

エビの身のほうに斜めの細かい切り目を入れておきます。

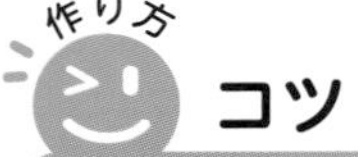

作り方 コツ

a なすに7～8㎜間隔の切り目を入れます。

作り方

1. エビは尾のひと節を残して殻をむき、腹側から包丁を入れて開き、背ワタがあれば除く。身のほうを上にして斜めに切り込みを入れる。
2. なすはピーラーで皮をしま状にむき、縦横半分に切り、縦に切り目を入れる a。
3. にんじんは細切り用ピーラーでせん切りにする（65ページ参照）。
4. 天ぷら粉に水を加えてさっと混ぜ、ころもを作る。
5. 揚げ油を170℃に熱し、1、2、アジにころもをつけて揚げる。青じそは裏側にころもをつけて揚げる。にんじんはボウルに入れ、ころも大さじ2～3を混ぜ、ひとつまみずつ油に入れてカラッと揚げる。
6. 器に盛り、天つゆ、大根おろしを添える。

カンタン！市販天ぷらで天丼

天つゆでさっと煮ると、ころもがしんなりとやわらかに。

食べられる！

じんわり煮て味を含ませた

しっとりひじき煮

1人分 164 kcal
塩分 2.1 g

材料（2人分）

長ひじき（乾燥品）…20g※
さつま揚げ…小2枚
にんじん…2cm
大豆（水煮）…50g
サラダ油…小さじ2
だし汁…1カップ
A
砂糖…小さじ2
みりん、酒…各小さじ2
しょうゆ…大さじ1・1/2

※芽ひじきより、長ひじきのほうがやわらかく煮あがります。

作り方

1. ひじきはざっと洗い、水につけてもどし、水気をきって3～4cm長さに切る。
2. さつま揚げは熱湯に通し、5mm厚さに切る。にんじんは細く切る。
3. 鍋にサラダ油を熱してひじきをさっと炒め、だし汁を加える。煮立ったら弱火にし、5分ほど煮る。
4. さつま揚げ、にんじん、大豆を加えてひと煮し、**A**を加える。落としぶたをし、ときどき混ぜながら煮汁がほとんどなくなるまで煮る。火を止め、そのままさまして味を含ませる。

やわらか
ポイント

ひじきが5～6倍になるまでもどします。

カンタン！市販ひじき煮は卵料理に

2人分で、溶き卵2個分にひじき煮大さじ2を混ぜ、オムレツや卵焼き、いり卵にするとやわらかに。

1人分 133 kcal
塩分 1.3 g

煮汁が多めなので、そのぶん長く煮てやわらかに

きんぴらごぼう

材料（2人分）

ごぼう…1本(150g)
にんじん…5cm
サラダ油…小さじ2
酒…大さじ1
だし汁…1/2カップ
A［砂糖、みりん…各大さじ1/2
　しょうゆ…大さじ1
いり白ごま（好みで）…適量

作り方

1. ごぼうはたわしでこすり洗いし、斜めの薄切りにして重ね、端から斜めに細く切り、水につける。にんじんも同様に切る。
2. 鍋にサラダ油を熱して❶をよく炒め、酒を加えてさらに炒める。
3. だし汁、Aを加え、煮汁がほとんどなくなるまで、ときどき混ぜながら煮て味をなじませる。
4. 器に盛り、いりごまを指先でひねりながらふる。

ポイント

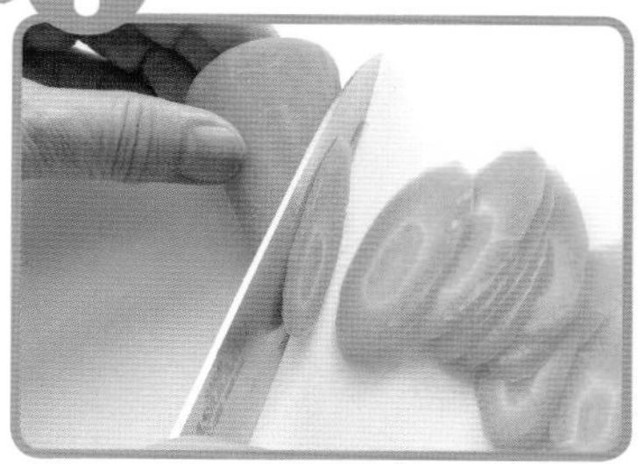

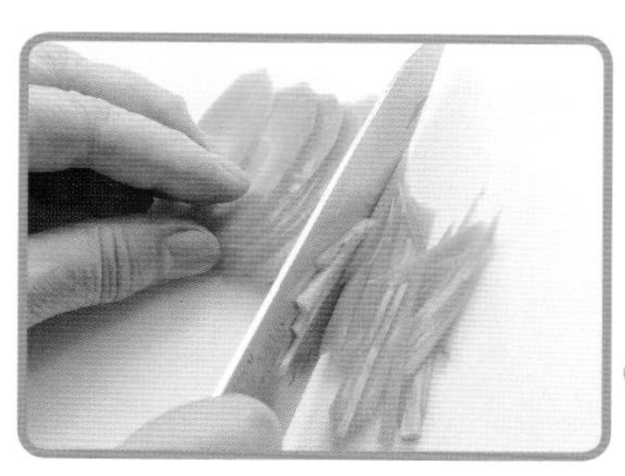

にんじん、ごぼうの切り方は72ページにあります。

かたい根野菜なしで、じゃがいもを

いり鶏風

1人分 263 kcal
塩分 1.3 g

材料(2人分)

鶏もも肉
…1/2枚(120g)
じゃがいも…2個
にんじん…1/2本
絹さや(好みで)
…3～4枚
サラダ油…小さじ2
だし汁…1カップ
A
めんつゆ
…大さじ1・1/2
酒…大さじ1・1/2

コツ

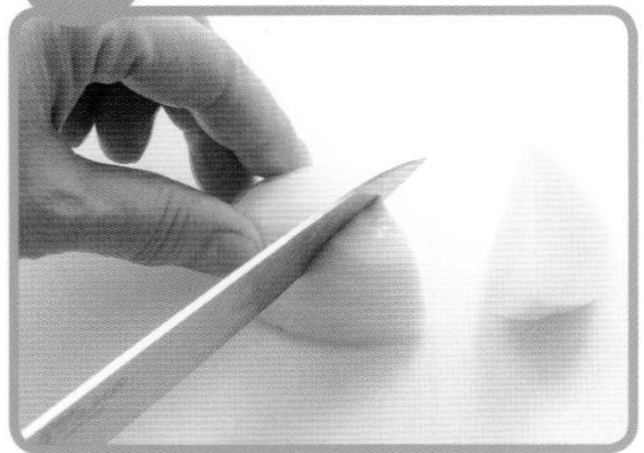

ⓐ じゃがいもは半分に切ってからひと口大に。

作り方

1. 鶏肉はすじ切りをし、ひと口大に切る。
2. じゃがいもはひと口大に切ってⓐ水にさらし、にんじんは小さめに切る。
3. 鍋にサラダ油を熱して鶏肉を炒める。色が変わったら2を加え、さっと炒めてだし汁を加える。
4. 煮立ってから3～4分煮、**A**を加えてふたをし、弱めの中火でじゃがいもが煮くずれる寸前まで煮る。
5. 絹さやはやわらかめにゆでて斜め半分に切り、4に散らす。

噛む力をきたえて毎日元気で長生き

健康で、おいしいものがおいしく食べられる、
これこそが人生最高の喜びです。
食べたものは全身をめぐり、からだを作り、動かす力となります。
うまく食べられない場合は原因を解決し、食べる喜びを取り戻しましょう。

鶴見大学歯学部教授
日本抗加齢医学会副理事長
斎藤 一郎

食べる活力の源は おいしさ

おいしいものを食べているとき、誰もが嬉しそうな顔をしています。そのとき、食べることに関わる機能はまさに総動員。細かく砕き、かたまりにして飲み込むまでの作業に加え、それがからだに悪いものではないことを探り、甘い、塩からいなどの味、うまみを感知する能力もフルに使われます。

この一連の作業をスムーズに進行させるのに最も大事な要素は、食べるものがおいしいこと。味や香りや食感がなければ、食べる機能がうまく働かず、まさに「砂を噛むような」もの。食べる機能を高めると同時に、おいしく調理することをまずは心掛けてください。

噛む能力が低下すると 脳の機能も低下する

一連の食べる行為の中で、最も重要なのが「噛む」作業です。噛むことは、食べものを細かくして消化をよくするだけでなく、消化器官の働きを活発にする働きもあります。

歯でものを噛み始めると、その刺激が胃やすい臓、小腸などの消化器官に伝わり、それぞれの機能が働き出します。その結果、消化酵素が盛んに出るなどして、食べたものの栄養素が分解し、吸収率が高まります。咀嚼（そしゃく）が十分でないと、この分解・吸収がうまくいかず、健康維持が難しくなります。

◆　◆

それだけでなく、脳の機能も衰えます。

歯と脳の間には、末梢神経と中枢神経をつなぐ神経ネットワークが存在しています。よく噛んでその神経を刺激すれば血流がよくなり、脳がどんどん活性化します。反対に血流が悪くなると、脳細胞がうまく働かないことになります。噛まないで飲み込む習慣が続くと、認知症の場合、症状の悪化が早く進むといわれます。

噛めなくなる最大の原因は歯周病

うまく噛めないのには顎関節症、筋力の衰えなどもありますが、最大の原因は歯周病です。三十代の約七〇％、六十代にいたっては八〇％が歯周病で、なお増え続けているというデータがあります。

歯周病の原因は口の中の細菌です。若いうちは十分に唾液があふれて清潔で、免疫力も強いので、歯周病の心配はあまりないようです。しかし最近はやわらかくて甘いものを多く食べる傾向にあり、ストレスも多くて唾液の分泌量が少なくなり、若いうちから歯周病に悩まされるようです。

歯周病をコントロールして噛む能力を取り戻す

歯周病は痛みをともなわない場合が多く、気づかないうちに進行していることがあります。日常生活の中で、

■歯肉が腫れて痛む
■冷たいものを食べると歯がしみる
■口臭が気になる
■歯がぐらついている

などの症状があれば歯周病の疑いがあり、早急な手当が必要です。正しいブラッシングなどのケアを行うとともに専門医の治療を受けることをお勧めします。

ドライマウスも歯周病を悪化させる要因のひとつ

唾液の分泌量が少なくなり、口の中が乾いた状態をドライマウスといいます。唾液が出にくくなると歯周病菌や虫歯菌が増殖し、噛む力を低下させますから、適切な対処が必要です。

コラム

一日一回はていねいに手入れ

朝は、夜間に口の中で菌が増殖していますから、食事の前に歯みがきを。毎食後もかるく磨く程度にして、食べカスを残さないようにします。就寝前には時間をかけ、ていねいにブラッシングし、歯間ブラシやフロスなどを使ってすみずみまで手入れをし、菌を口に残さないようにすることが大事です。

ドライマウスをチェック

1	唾液が出にくい
2	口の中が乾く
3	口臭が気になる
4	食べ物が飲み込みにくい
5	舌がもつれて話しにくいことがある

歯みがきするときは明るいところで、鏡を見て歯の状態をチェックしながら

全国の歯周病専門医・認定医を探すなら http://www.perio.jp/roster

噛む力をつけ、シワとたるみを改善
健康と若さを維持

うまく噛めないとやわらかいものばかり食べるようになり、あまり噛まずに飲み込むようになります。すると、噛まない→唾液が出ない→歯周病が悪化する→さらに噛まない→唾液の出がさらに悪くなる、の負の連鎖が始まります。それを断ち切るには、まずは「噛む力」をアップ＝噛むことに使われる筋肉をきたえることが大事です。

噛むときは主にこめかみの側頭筋、あごと頬にある咬筋が使われます。これらをきたえると、あごのラインが引き締まってきてすっきりしてきます。筋力が弱まると出てくる縦ジワ、ほうれい線も浅くなり、顔がみるみる若くなります。

噛むためには首筋、胸、背中などの筋肉も使われます。よく噛むことによってこれらの筋肉もきたえられて疲れにくくなり、姿勢もよくなって、見た目年齢もぐっと若返ります。

筋力はいくつになってもきたえれば増やすことが可能です。自分に合った、続けられる方法でトレーニングしてください。

噛む力を高める運動

1. リップトレーニング①

口をイーッと横に広げ、奥歯を噛み締める

慣れないうちはこめかみに指先を当てて筋肉の張り具合を確かめる

1日に2回。毎回10秒ずつ

2. リップトレーニング②

いろんなところに空気を入れて膨らます

（順番はどうでも、まんべんなく行うことが大切）

3. ポッピング

1日2回、朝晩10回ずつ始め、徐々に回数を増やし、朝晩20回ずつに

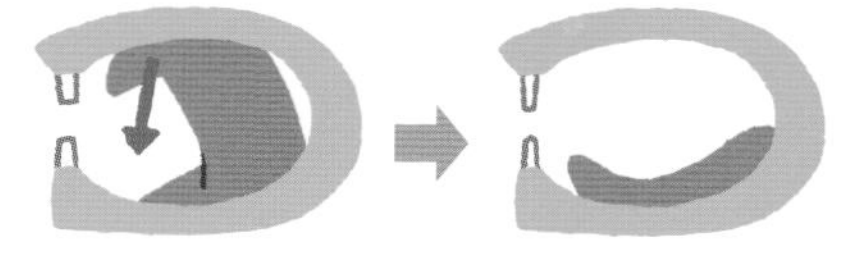

口を唾液か水で湿らせるとやりやすい

舌を吸い上げるようにして上あごに舌をかるく押しつける

舌打ちする要領で、勢いよく「ポンッ」とならしながら離す

よくしゃべる、笑う、カラオケすることも口の筋力アップに有効です。

噛む筋肉をきたえると

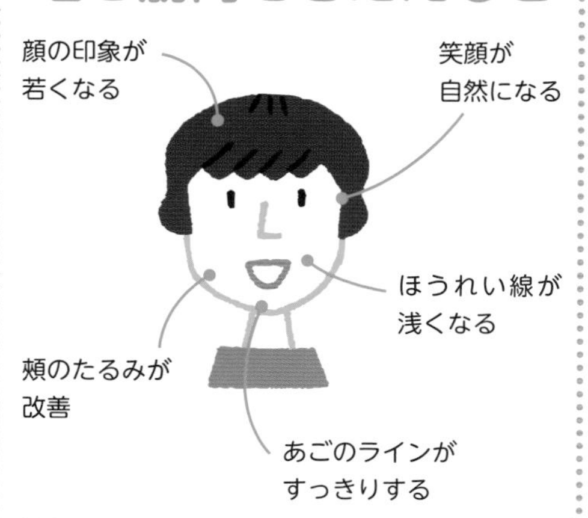

噛む力を高める食事を

炎症のあるうちは、やわらかいものを食べることはやむを得ないでしょう。しかし、適切な処置をして、ある程度噛めるようになったら、しっかり噛まなければ食べられないものも食べ、少しずつ噛む力を回復させましょう。

はじめのうちはゆっくり噛めば、徐々に噛めるようになります。

よく噛む必要のある食品は食物繊維やビタミン、ミネラルなどが豊富。肥満防止にもつながり、生活習慣病の予防にもなるうえ、ホルモンの分泌を調整してストレス解消にも有効です。

① 噛みごたえのある食材を

➡もち米で炊いた赤飯や、五穀米のご飯、玄米ご飯。

ピーナッツ、アーモンドなどのナッツ類、ごまなども。

② 食物繊維が豊富な食材

➡じっくり噛みしめるとうまみの出る野菜類が中心。

ごぼう、れんこんなどの根野菜、小松菜、ブロッコリーなどの緑黄色野菜。

③ 弾力があり、噛み切りにくい食材

➡グッと力を入れなければ食べられないものを。

こんにゃく、タコ、イカ、きのこ、油揚げなど。

④ 大きく切る

➡スティック野菜がオススメ。はじめのうちは細めにし、だんだん太くしていく。生のセロリを大きく切ってバリバリ食べる、りんごを厚く切るなども。

⑤ 口あたりの違う食材を組み合わせる

➡たとえばキャベツ、しめじ、油揚げを組み合わせたみそ汁など。素材の食感の違い、味の違いを感じ取ろうとするので、自然に噛む回数が多くなる。

⑥ うす味にする

➡濃い甘みや塩味は素早く味を感じてしまうので、噛む回数が少なくなりやすい。うす味だと素材の味を確かめようとするので、よく噛んで食べるようになる。

唾液を増やして噛む力をアップ

唾液には食べものをかたまりにしてのどに送りやすくする機能があります。これがないとうまく飲み込むことができません。

唾液の役割はまだまだ、あります。

①消化を助ける…でんぷんやたんぱく質の消化酵素を含む

②抗菌作用がある…病原菌がからだに侵入するのを防ぐ

③口内の粘膜を保護する…刺激の強いもの、熱いもので口内、のど、食道が傷つかないようにする

④傷ついた粘膜を修復する

⑤歯を保護し、歯の再石灰化を助ける

酸によって歯から溶け出たイオンやミネラルを歯の表面に戻し、溶かされた歯の表面を修復する

唾液の出をよくする運動

口の中で舌を回す

（舌で歯をなでるようにする
歯の内側でも外側でもよく、やりやすいほうで）

▶右回り、左回りを、それぞれ 20 回以上

▶最も効果のある方法。たくさんやるほど効果大

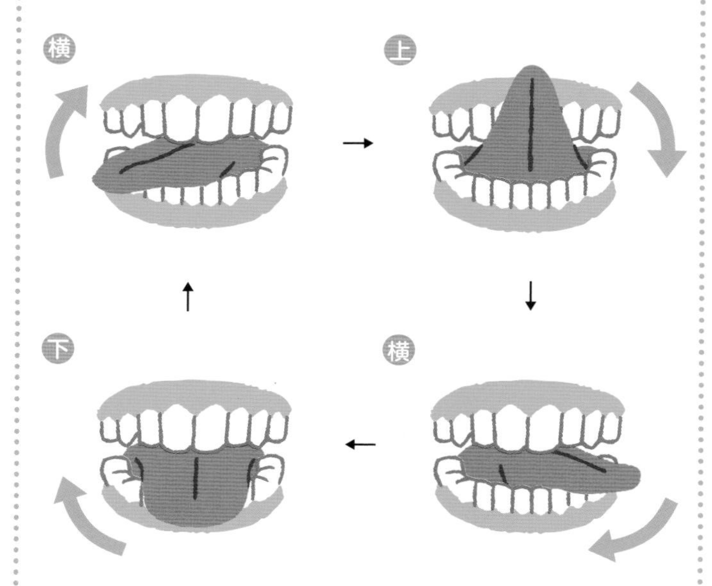

唾液腺をマッサージ

1. 舌下腺（ぜっかせん）マッサージ

▶舌のつけ根の真下のあごの部分を押す

2. 顎下腺（がっかせん）マッサージ

▶あごのエラ下から 3 ㎝ほどの内側の部分を押す

3. 耳下腺（じかせん）マッサージ

▶耳たぶの下あたりを指でグルグル回しながら押す

COLUMN

一生、自分の歯で噛むために

歯みがきのルール

❶順序を決めてみがき残しを防ぐ

たとえば、表側をみがいたら裏側を、最後に噛み合わせ部分をみがく、というように、みがく順序を決めておくとみがき残しをある程度、防ぐことができます。みがき残しやすいのは歯と歯の間、噛み合わせたときの溝の部分、歯と歯の境目など。そこを意識しながら1本ずつみがくことが大事です。

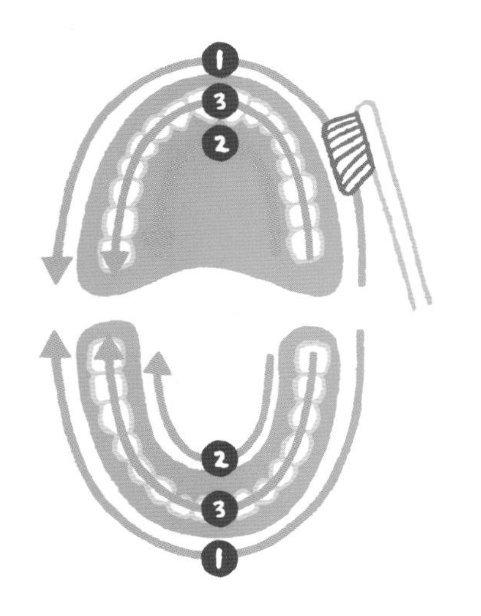

❷力を入れ過ぎない

「みがかなければ」という思いをこめると、ついつい強い力でゴシゴシとブラッシングしてしまいがち。それでは歯肉や歯の根元を傷つけてしまうことにもなりかねません。力の入れ加減は歯ブラシでチェックを。使いはじめて1週間ほどで毛先が開いてしまう人は要注意です。

❸電動歯ブラシは当てるだけ、時間を守る

電動歯ブラシは歯の表面に当てる程度に。強く押し当てるように使うと、歯の表面が削れてしまい、知覚過敏などの原因にもなります。みがき過ぎも歯を削ることになりますから、マニュアルに表示された時間を超えないように。研磨剤を含まない液状歯みがきを使うとよいでしょう。

❹デンタルフロスや歯間ブラシを併用

みがき残しをなくすのにデンタルフロスや歯間ブラシは有効です。歯ブラシで除去できるプラークは50～70%といわれますが、デンタルフロスや歯間ブラシを合わせて使うと、約90%が除去できるとされています。

デンタルフロスは歯と歯の間を通過させ、歯の側面に沿わせて上下に数回動かします。歯間ブラシはすき間に合わせてサイズを選び、歯肉を傷つけないように歯と歯の間に慎重に差し入れ、前後にゆっくり動かします。

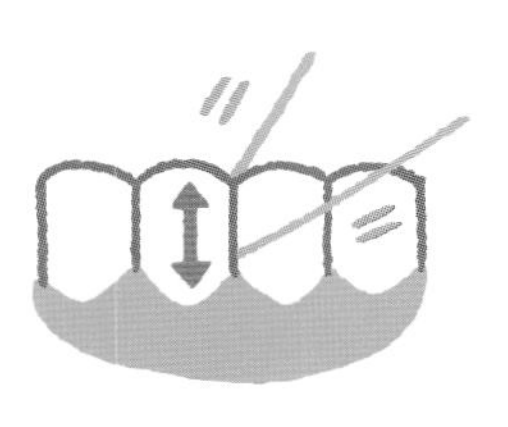

デンタルフロス

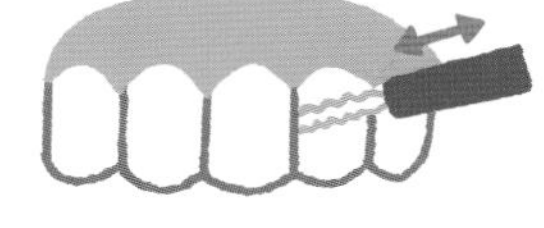

歯間ブラシ

著者・監修者プロフィール

河野雅子（こうの　まさこ）

料理研究家・栄養士。
日本女子大学食物学科卒業。「健康作りは食卓から」をモットーに、NHK「きょうの料理」などのテレビ料理番組の講師を長年務める一方で、雑誌や料理本にも数多くの料理を発表。おいしくてからだによい家庭料理に定評がある。『つくりおき基本レシピ』（高橋書店）『晩ごはん、何にする？』『おうちごはん入門書』（講談社）『おいしい10分レシピ』（小社刊）など著書多数。

斎藤一郎（さいとう　いちろう）

鶴見大学歯学部教授、日本抗加齢医学会副理事長。
東京医科歯科大学難治疾患研究所助教授などを経て2002年より鶴見大学歯学部教授。口腔乾燥症を呈するシェーグレン症候群の研究に長年従事し、多数の論文、著書がある。ドライマウス研究会、抗加齢歯科医学研究会を主宰。主な著書に『口からはじめる不老の科学』（日本評論社）『不老は口から』（光文社）『「食べる力」を鍛えてピンピン元気』（東洋経済新報社）がある。

STAFF

装丁・デザイン　新田由起子（ムーブ）
撮影　青山紀子
スタイリング　竹山玲子
栄養価計算　土屋史子
イラスト　福々ちえ
構成・編集協力　新沢滋子

おいしい！　やわらかレシピ

著　者　河野雅子
医学監修　斎藤一郎

発行者　永岡修一
発行所　株式会社永岡書店
〒176-8518　東京都練馬区豊玉上 1-7-14
電話　03-3992-5155（代表）
03-3992-7191（編集）
DTP・印刷　誠宏印刷
製本　ヤマナカ製本

ISBN978-4-522-43294-5 C2077
落丁本・乱丁本はお取り替えします。①